RACONTE-MOI

FÉLIX LECLERC

La collection Raconte-moi *est une idée originale
de Louise Gaudreault et de Réjean Tremblay.*

Directeur de la collection : Réjean Tremblay
Éditrice-conseil : Louise Gaudreault
Direction littéraire : Jennifer Tremblay
Direction artistique : Julien Rodrigue
Illustrations : Josée Tellier
Image arrière-plan C1 : Lana_Samcorp/
    Shutterstock
Image C4 : Visual Generation/Shutterstock
Design graphique : Christine Hébert
Infographie : Chantal Landry
Révision : Caroline Hugny
Correction : Joëlle Bouchard et
    Sylvie Massariol
Illustration de la p. 73 : couverture du
    livre de Félix Leclerc *Adagio* (contes),
    Montréal, Éditions Fides, 1943.

Catalogage avant publication de Bibliothèque et
Archives nationales du Québec et Bibliothèque
et Archives Canada

Delisle-Crevier, Patrick, auteur

    Félix Leclerc / Patrick Delisle-Crevier.

    (Raconte-moi ; 27)
    Comprend des références bibliographiques.
    Public cible : Pour les jeunes.

    ISBN 978-2-89754-117-0

    1. Leclerc, Félix, 1914-1988 - Ouvrages pour
la jeunesse. 2. Poètes québécois - 20ᵉ siècle
- Biographies - Ouvrages pour la jeunesse.
3. Chanteurs - Québec (Province) - Biographies -
Ouvrages pour la jeunesse.
I. Titre. II. Collection : Raconte-moi ; 27.

PS8523.E27Z6 2018   jC841'.54   C2017-
942853-5
PS9523.E27Z6 2018

02-18
Imprimé au Canada

DISTRIBUTEUR EXCLUSIF :

Pour le Canada et les États-Unis :
MESSAGERIES ADP inc.*
2315, rue de la Province
Longueuil, Québec J4G 1G4
Téléphone : 450-640-1237
Télécopieur : 450-674-6237
Internet : www.messageries-adp.com
* filiale du Groupe Sogides inc.,
    filiale de Québecor Média inc.

Gouvernement du Québec – Programme de crédit
d'impôt pour l'édition de livres – Gestion SODEC –
www.sodec.gouv.qc.ca

L'Éditeur bénéficie du soutien de la Société de
développement des entreprises culturelles du
Québec pour son programme d'édition.

 Conseil des Arts   Canada Council
du Canada   for the Arts

Nous remercions le Conseil des Arts du Canada
de l'aide accordée à notre programme de publication.

Financé par le gouvernement du Canada
Funded by the Government of Canada   Canadä

Nous reconnaissons l'aide financière du gouvernement du Canada par l'entremise du Fonds du
livre du Canada pour nos activités d'édition.

Patrick Delisle-Crevier

RACONTE-MOI
FÉLIX LECLERC

petit homme
Une société de Québecor Média

PRÉAMBULE

C'est le début du mois d'août. Le soleil darde ses plus chauds rayons sur le parc La Fontaine, situé dans l'arrondissement du Plateau-Mont-Royal.

En cette belle journée d'été, le parc est rempli de gens. Des familles installées à l'ombre pique-niquent. L'été est court au Québec et chacun semble vouloir profiter de ce moment béni par la grâce de dame Nature.

Un groupe de septuagénaires joue à la pétanque. Non loin, des plus jeunes se lancent un frisbee, d'autres promènent leur chien.

Oussama, dix ans, et sa mère, Rosa, se promènent dans l'immensité du parc. Ils observent ce qui se passe autour d'eux et savourent pleinement le moment.

Oussama aime beaucoup se promener avec Rosa, particulièrement lorsqu'elle lui permet d'apporter sa planche à roulettes, qu'il étrenne depuis peu. Il déambule alors autour d'elle. Il prend de l'avance d'un élan, puis d'un deuxième, puis au troisième, il fait demi-tour pour revenir vers elle. Trois élans vers le nord, puis trois élans vers le sud. Rosa sourit, amusée de voir son fils devenir un pro de la planche à roulettes.

Mais tout à coup, Oussama s'arrête net devant une immense statue coulée dans le bronze, située dans un coin presque désert du parc.

« Regarde maman, c'est un géant ! » lance-t-il à sa mère.

« Tu as raison, c'est un géant », dit Rosa, qui contemple elle aussi la statue.

« Oui, c'est vrai que c'est un géant », dit une voix derrière eux.

Oussama et sa mère se retournent. Devant eux, assis à quelques pas de la statue, il y a un homme aux cheveux blancs.

« Connaissez-vous Félix Leclerc? » demande-t-il.

« Non », répond Oussama en s'approchant de quelques pas.

« Félix, c'est un de nos plus grands poètes, le père de la chanson québécoise. Il a pavé la voie à plusieurs. Vous ne connaissez pas la chanson *Le p'tit bonheur*? Ou encore *Bozo*? »

La mère et le fils secouent la tête.

« Est-ce qu'il est mort? » demande Oussama.

« Oui, le 8 août 1988, notre grand Félix est mort. Je m'appelle Roméo », poursuit-il.

« Moi, c'est Oussama », répond l'enfant.

« Moi, c'est Rosa », dit la femme.

« Rosa, c'est un joli prénom, comme la rose. »

« Oui, on peut dire comme la rose, mais dans mon pays, la Syrie, Rosa, ça veut dire "petit grain de riz", sourit la femme. Vous venez souvent ici ? » demande-t-elle.

« Oui. J'y passe pratiquement mon été. Je suis un réalisateur de télévision à la retraite et je viens écrire ou dessiner dans le parc. » Il montre, posés sur ses genoux, quelques cahiers noirs et des crayons. « Je m'assois ici près de la statue de Félix. C'est mon endroit préféré dans tout le parc. C'est plus calme. »

« Vous avez vraiment connu ce géant ? » demande Oussama.

« Oui, je l'ai croisé à quelques reprises dans des studios de télévision. J'ai aussi eu la chance de le voir en spectacle. Mais je connais beaucoup plus l'œuvre de Félix que Félix lui-même », dit Roméo.

« Est-ce qu'il était aussi grand que cette statue ? » lance l'enfant.

«Non, ça a été un peu exagéré. C'est une image, mais c'était tout de même tout un gaillard, notre Félix. Ça le représente bien parce que son œuvre est très importante», explique Roméo.

«J'aimerais bien en savoir plus sur ce géant. J'aime les géants», dit Oussama en jetant de nouveau un regard sur l'imposante statue de cuivre.

«Nous sommes au Québec depuis bien peu de temps», dit Rosa en direction de Roméo, «mais si tu veux, Oussama, nous ferons des recherches sur Internet pour en savoir un peu plus sur monsieur Leclerc.»

«Appelez-le Félix. Tout le monde l'appelle Félix», dit Roméo.

«Alors à bientôt, monsieur», dit la dame.

«Au revoir, monsieur», ajoute Oussama.

«Appelez-moi Roméo», dit l'homme.

Oussama monte sur sa planche. Il s'élance, suivi par sa mère. Il se retourne une dernière fois pour envoyer la main à Roméo.

L'ENFANCE DE FÉLIX

C'est par un beau dimanche du mois d'août de l'an 1914, aux 12 coups de midi et au début de la Première Guerre mondiale qui fait rage de l'autre côté de l'Atlantique, que se pointe Joseph Félix Eugène Leclerc, le sixième enfant de la famille Leclerc.

Félix naît à La Tuque, un village qui s'étend sur deux ou trois rues. Il y a un barbier, un cordonnier, un forgeron, un petit restaurateur et quelques centaines d'habitants qui se partagent ce coin de terre perdu dans la région de la Haute-Mauricie.

Les parents de Félix, Fabiola Parrot, une élégante femme, artiste dans l'âme, et Léonidas Leclerc (surnommé Léo), un géant, un défricheur aux mains énormes, se sont mariés dix ans plus tôt.

Peu de temps après la noce, Léo, qui était un grand aventurier et un homme de projets, avait décidé d'acheter et d'exploiter une fromagerie dans le Maine, aux États-Unis.

Il faut dire qu'à cette époque, plusieurs Canadiens français s'éloignaient du Québec pour fuir le chômage et la pauvreté, et tentaient de trouver un travail de l'autre côté de la frontière afin de nourrir leur famille.

L'aventure des Leclerc chez nos voisins du sud a duré deux ans. Le clan a fait de bonnes affaires aux États-Unis. Mais Léo avait la bougeotte et le mal du pays, surtout que la rumeur courait que de riches Américains investissaient au Québec dans le domaine de la foresterie. La vallée de la Haute-Mauricie avait besoin de coupeurs de bois et d'ouvriers dans les nouveaux moulins à scie.

C'est donc en 1906 que Fabiola, Léo et Marthe, la première fille des Leclerc née en 1905, s'installent à La Tuque. Léo a la bosse des affaires et de l'ambition. Il n'a pas envie de simplement couper du bois.

Il se lance dans le commerce des chevaux, du grain, du foin et du charbon. Il vendra aussi de l'alcool, des outils ainsi que des couvertures. En peu de temps, son commerce prend des allures de véritable magasin général.

La maison des Leclerc est située au 168, rue Tessier. Bien plus tard, dans ses livres, Félix a rebaptisé cette rue Claire-Fontaine, parce qu'il trouvait ce nom plus poétique.

Grâce au sens des affaires de Léo, la résidence familiale devient aussi un petit hôtel ; on loue des chambres aux bûcherons, aux draveurs et aux entrepreneurs qui sont de passage dans la région.

Le petit Félix mène une enfance heureuse dans cet univers avec ses trois sœurs et ses deux frères. Surtout qu'on ne manque pas d'imagination et de rêves dans la famille! L'un souhaite devenir un brillant savant et un dresseur de loups, l'autre, un grand musicien ambulant. L'aînée rêve de jouer de la harpe chez un prince, pendant que la cadette joue déjà magnifiquement du piano. La benjamine est une sportive qui vise les médailles olympiques.

Malgré les temps parfois plus difficiles, on est doué pour le bonheur dans le clan Leclerc. Fabiola a un moral d'acier. Les pépins quotidiens ne changent pas son humeur. Une panne d'électricité, par exemple, devient pour elle un prétexte pour allumer des bougies, festoyer et danser.

On fait toujours bon usage du piano noir qui repose au beau milieu du salon. Il n'est pas rare que des membres de la famille, des oncles, des tantes, des amis et des voisins prennent part aux soirées festives et magiques où la musique et les rires sont à l'honneur.

La grande cour des Leclerc est le lieu de rassemblement de plusieurs enfants du voisinage. On y joue pendant des heures et des heures. Il faut dire que l'endroit, non clôturé, ne manque pas d'agréments pour les enfants. Il y a des voitures, des chevaux, des cerfs-volants, des ballons, des balles et plein de jouets. Souvent, Fabiola sort dans la cour avec une assiette remplie de bons beignets chauds qui comblent les papilles et la panse des enfants.

Félix est de nature assez solitaire. Il aime dessiner et s'occuper dans son coin. Mais il apprécie aussi la présence de quelques copains. Du nombre, il y a Fidor, son grand ami. Celui-ci est bien différent des autres garçons du village.

Fidor a accumulé bon nombre de petits et de grands malheurs sur ses épaules, dont la mort de sa jeune sœur. Comme sa famille est très pauvre, il ne va pas à l'école. Son école à lui, c'est la vie. Fidor est gentil. Il a un grand cœur. Il sait lire les étoiles. Les animaux et les plantes n'ont pas de secret pour lui. Il est même l'ami des chiens et les connaît mieux que quiconque.

Un jour, Léo et Félix se rendent chez Bérubé, le ferblantier du village, en compagnie d'un magnifique danois. Ils croisent Fidor sur leur chemin. Le père, le fils, l'ami et le chien marchent ensemble quand le gros bouledogue de Bérubé attaque le danois et lui plante ses crocs dans le cou. Les deux chiens se livrent une terrible bataille. Bérubé a beau tenter de contrôler son chien et de l'empoigner, c'est impossible !

Léo, voyant que les chiens vont s'entretuer, essaie aussi de les séparer, d'abord en leur lançant un seau d'eau. Cela calme les ardeurs des deux cabots pendant quelques secondes, mais ils reprennent le combat de plus belle.

Pour sauver son chien, Léo empoigne le bouledogue, qui plante alors ses crocs dans la main de l'homme. Léo se tord de douleur. C'est à ce moment que le jeune Fidor accourt avec une poche de jute et l'enfile sur la tête de l'animal. N'y voyant plus rien, le bouledogue se calme et desserre les crocs.

Par son action, Fidor sauve la main de Léo et probablement aussi la vie des deux chiens. À partir de ce jour, comme plusieurs personnes au village, Félix voit son grand ami Fidor comme un exemple de courage. La nouvelle du geste héroïque de Fidor se répand à travers les cantons et tout le monde perçoit désormais en ce jeune garçon aux longs cheveux blonds l'étoffe d'un grand homme.

Léo est fort reconnaissant. Pour récompenser Fidor, il l'amène chez un habitant dont la chienne vient de mettre bas.

« Prends le chiot que tu veux », lui dit Léo.

Fidor n'en croit pas ses yeux ni ses oreilles. Il observe longuement les chiots avant de faire un choix. Il prend le plus petit, celui qui semble le plus piteux.

« Je vais prendre celui-là et je vais l'appeler Chanceux », lance-t-il sous le regard amusé de Léo et de Félix.

Fidor est très important pour Félix. Les deux garçons sont inséparables. Ils jouent aux billes, pêchent et gambadent dans les champs avec leurs deux chiens.

À l'école, Félix a de bonnes notes. Comme les enfants de son âge, il consacre ses temps libres au jeu et aux précieux moments en famille.

Adulte, Félix décrira la maison familiale de La Tuque en ces mots : « Une longue maison de bois à trois étages, une maison bossue et cuite comme un pain de ménage, chaude en dedans et propre comme de la mie. » Au sujet de l'ambiance qui y régnait, il ajoutera : « C'était une maison chaude, du pain sur la nappe et des coudes qui se touchent. Voilà le bonheur. »

2

FÉLIX DÉCOUVRE LA MUSIQUE ET LE THÉÂTRE

Juste en face de la maison Leclerc, il y a une petite maison blanche ornée d'un drapeau tricolore, celui de la France. L'intérieur semble dormir durant presque toute la semaine, sauf les jeudis soir, à 19 heures. À ce moment, la maison devient lumineuse et, surtout, il en sort des airs joyeux qui rendent heureux tous les gens du village.

Cette maison, c'est celle de la fanfare. Elle est habitée par des tambours, des clairons, des trompettes, des clarinettes et plein d'autres instruments en tous genres. De temps en temps, ils prennent vie par le souffle et le doigté d'hommes coiffés de képis et d'uniformes bleus à boutons dorés.

Félix est fasciné par cette chaumière blanche qui devient si belle et si musicale les soirs de représentation. Un jour, avec son frère Jean-Marie, il s'aventure derrière la clôture, tout près de la maison, afin de zieuter à travers la fenêtre. Les garçons y aperçoivent les beaux instruments de cuivre posés sur le sol.

Félix s'intéresse de plus en plus à la musique. Il écoute religieusement sa sœur Anne-Marie, qui s'exécute au piano le soir après le souper. Elle joue des airs de Schubert, de Bach, de Chopin et de Beethoven. Félix est aussi le premier à s'installer près du phonographe dans la salle familiale pour écouter la musique de Maurice Chevalier, de Mistinguett et de Fernandel, des vedettes en France.

Le phonographe est un dispositif qui permet d'enregistrer des sons grâce à un stylet qui grave les sonorités sur un cylindre d'étain en fonction de vibrations qu'il est possible de réécouter par la suite. Cette invention a été brevetée par l'inventeur américain Thomas

Edison en 1877. Deux ans plus tard, en 1879,
Edison a inventé l'ampoule électrique.

À douze ans, Félix fait partie du corps de clairons
du Collège Saint-Zéphirin. Il joue alors de la grosse
caisse. Il se joint aussi à la chorale des enfants.

Peu à peu, celui que l'on appelle Filou dans la maison familiale se met à écrire des bouts de poèmes
et des chansons. Sa mère, voyant l'artiste en lui,
l'encourage.

Mais Léo, lui, trouve qu'être artiste et faire de la
musique, ce n'est pas un vrai métier. Il préférerait
voir son fils cultiver une terre.

Félix ne sait même pas planter un clou. Il ne s'intéresse pas aux travaux de la terre. Dès qu'on lui
confie une tâche manuelle, il se perd dans ses
pensées, sifflote, chantonne. Il finit par oublier la
corvée qu'on lui a confiée !

Léo s'inquiète. Que fera son fils pour gagner sa
vie ?

***

Une fois l'an, en mars, des gens du village, tels que le barbier, l'épicier, le notaire et plusieurs autres, deviennent comédien le temps de jouer une pièce à la salle paroissiale. À neuf ans, Félix assiste pour la première fois de sa vie à un tel spectacle. C'est une révélation. Il a la piqûre du théâtre.

Il est impressionné par Gaspard Lavoie, le plombier du village, qui semble pouvoir tout jouer, tant les tragédies que les comédies. Gaspard est un comédien plus que convaincant. Alors qu'il est plutôt timide et réservé dans la vie, il est complètement différent sur scène.

En revenant à la maison, Félix a le cœur en joie. Il est si emballé par ce qu'il vient de voir qu'il se dit qu'un jour, il fera lui aussi du théâtre. Chose certaine, il payerait volontiers un autre dix cents pour voir la pièce de nouveau. À la maison, il raconte le spectacle au complet à sa mère. Il y va même de sa propre interprétation des différents personnages. Il rejoue toutes les scènes, sous le regard amusé de Fabiola.

Celle-ci n'est aucunement surprise de voir son Filou aussi enjoué par son premier spectacle. Elle a toujours su au fond d'elle que son petit dernier avait la fibre artistique.

Dès qu'il pose les pieds hors du lit, le lendemain, Félix décide que la remise deviendra son petit théâtre. Il se consacre à l'écriture de saynètes et confie des rôles à ses sœurs, à son ami Fidor et aux autres enfants du coin qui veulent bien se prêter au jeu.

Il organise des représentations devant public. Les spectateurs paient leur place avec des pièces d'un sou, des allumettes, ou offrent de simples babioles.

Au fil du temps, Félix se met à composer des poèmes et des chansonnettes. À l'école, il brille particulièrement sur scène dans le théâtre scolaire avec la chorale des petits.

Même s'il grandit, il continue d'être malhabile quand vient le temps de traire une vache ou d'entretenir la grange. Ses frères et ses sœurs, qui sont bien actifs autour de la ferme, comprennent eux aussi que Félix est un artiste.

Même Léo, qui espérait voir son fils changer, doit se résigner. Un jour, à Félix qui tente tant bien que mal de traire une vache, il dit ceci :

« Mon fils, arrête ça et va donc plutôt écrire ce qu'on fait. »

C'est ce que fera Félix, écrire des poèmes, des histoires et des chansons sur les gens qui l'entourent. Il le fera dès l'enfance et pour le reste de sa vie.

3

DES ÉTUDES À OTTAWA

« J'ai rencontré le père Bouffard et il aimerait te voir, mon Filou. Je vais repasser ta chemise blanche et ton complet bleu marine et, demain, nous irons le voir ensemble au presbytère », dit Fabiola à son fils.

La mère ne s'en cache pas, elle aimerait bien voir l'un de ses fils entrer en religion et devenir prêtre, comme l'aîné des voisins d'en face. À cette époque-là, toutes les familles canadiennes-françaises espéraient avoir un prêtre dans la famille. Mais l'idée de porter un jour la soutane n'a jamais traversé l'esprit de Félix.

Le père Bouffard trouve lui aussi que Félix a tout ce qu'il faut pour devenir prêtre. Il fait même miroiter au garçon la possibilité d'être un jour missionnaire et de se faire offrir un traîneau avec de magnifiques chiens.

Mais l'idée de consacrer un jour sa vie à Dieu et à la religion n'emballe pas le jeune homme.

Il est tout de même entendu qu'à la rentrée, en septembre 1928, alors qu'il aura quatorze ans, Félix devra quitter La Tuque pour entamer des études au Juniorat du Sacré-Cœur des Oblats de Marie-Immaculée.

***

Le matin de son départ, Félix est bien triste. Toute la famille est devant la maison pour un ultime au revoir alors qu'il s'installe avec Léo dans le chariot qui le mènera jusqu'à la gare.

Félix est heureux de poursuivre des études et de pouvoir découvrir d'autres paysages. Il a le goût de l'aventure, mais la vie dans une grande ville comme Ottawa l'effraie tout de même un peu.

Il est triste de laisser derrière lui sa vie de famille, les soirées à chanter et à faire de la musique avec ses frères et sœurs autour du piano. Il va aussi beaucoup s'ennuyer de ses promenades et de ses journées à la pêche avec son grand ami Fidor.

Ce jour-là, quand il monte dans le train pour aller étudier à plus de 500 kilomètres de sa maison, Félix a l'impression que c'est son enfance et tout son univers qu'il laisse derrière lui.

***

À Ottawa, Félix n'est pas particulièrement heureux dans sa nouvelle vie. Il se sent un peu seul dans ce grand collège, même s'il se fait quelques amis, avec qui il joue au hockey ou au ballon pour passer le temps.

Mais comme il n'est pas sportif de nature, il en a vite assez de ces activités. Il passe de longues heures seul dans sa chambre, à lire et à écrire. Il découvre les œuvres d'écrivains et de poètes français tels que Rimbaud, Verlaine et Baudelaire.

Lors de cette période sombre, Félix trouve du réconfort au sein d'une petite troupe de théâtre menée par l'un des pères de l'établissement. L'adolescent apprend un texte de Molière, *Monsieur de Pourceaugnac*, et joue le rôle de Sbrigani.

Lorsqu'il monte sur scène, Félix est heureux. Cela lui rappelle les précieux moments de son enfance à jouer à la salle paroissiale ou dans la remise.

Pendant cette période, il pousse aussi la chansonnette sur scène et il se débrouille pas mal. Il remporte un premier prix de chant à la fin de l'année scolaire de 1931. C'est une belle surprise !

C'est de plus en plus clair pour Félix, il sera comédien ou chanteur, ou les deux. Mais chose certaine, il ne portera jamais la soutane, ne deviendra pas missionnaire, ne consacrera pas sa vie à Dieu.

En 1933, à l'aube de ses vingt ans, la crise économique frappe le Québec. Fabiola et Léo n'ont plus l'argent nécessaire pour permettre à Félix de poursuivre les études universitaires en lettres qu'il avait entamées au Séminaire d'Ottawa. Le garçon doit rentrer chez lui.

Dans l'autobus, sur le chemin du retour, Félix est triste et désillusionné. Il a le cœur lourd et la tête remplie de rêves brisés. D'autant plus qu'il ne rentre pas chez lui à La Tuque, sur la rue Tessier (Claire-Fontaine), mais plutôt à Sainte-Marthe, à trois heures et demie de route du pays de son enfance.

Léo a eu une fois de plus envie de changer d'air. Il a acheté un immense terrain et une ferme que la famille habite désormais. Le père s'inquiète. Qu'est-ce que Félix va devenir sur une ferme? Lui qui n'a aucunement la vocation pour ce genre de métier?

« Mon fils, tu dois travailler et tu seras "bœuf-man", c'est-à-dire que tu prendras soin des bœufs. »

Félix n'est pas particulièrement emballé par cette idée. Après à peine quelques jours d'essais, Léo se rend vite compte que son Filou, en tant que « bœuf-man », n'est pas à sa place. Il nuit plus qu'il n'aide !

Lorsqu'il est au travail, Félix fait rigoler la famille et les employés avec ses bouffonneries. Parfois, il part complètement dans son monde imaginaire. Il sort son petit calepin et son crayon de sa poche et il se met à écrire. D'autres fois, il disparaît totalement du champ de vision de son père. Il se cache sous la charrette pour relire les textes qu'il a griffonnés dans son calepin.

On pardonne tout cela à Félix, puisque le soir venu, il distrait et émerveille toute la famille. Il récite ses poèmes et il chante des bribes de chansons en s'accompagnant avec plus ou moins de succès à la guitare. Fabiola et Léo se rendent bien compte que leur fils est un véritable magicien des mots.

Il sait si joliment raconter la vie sur la ferme, le vent, le froid de l'hiver, la douceur de la forêt !

Il lui arrive aussi de reprendre certaines chansons de La Bolduc ou de fredonner la mélodie de *Parlez-moi d'amour* de Lucienne Boyer. Un jour, il chante sa première composition, une ébauche de ce qui deviendra plus tard sa chanson *Notre sentier*.

Après quelques semaines, voyant que son fils n'est pas très heureux en tant que « bœuf-man », Léo lui propose de devenir commis au magasin général du village. Le propriétaire étant gravement malade, sa femme et ses filles ont beaucoup de mal à tenir à elles seules l'établissement.

Félix y est engagé pour un mois. Il se rend au village à bicyclette chaque matin. Comme la route est assez longue, il fabrique un lutrin de broche qu'il fixe à son guidon, ce qui lui permet de lire sur le chemin, en pédalant.

Après son expérience en tant que commis, Félix occupe différents petits emplois, dont livreur de glace. Jusqu'à l'arrivée des premiers réfrigérateurs, dans les années 1940, les livreurs faisaient la ronde à cheval afin de vendre aux habitants, pour la somme de dix cents, d'immenses blocs de glace de 60 centimètres qui servaient à refroidir les glacières en bois.

Félix, chaussé de grosses bottes à crampons et outillé d'une immense pince à glace, va d'une porte à l'autre en chantant.

Il ne se sent pas malheureux de gagner sa vie par ces différents métiers. Mais en même temps, il est loin de faire ce qui le passionne. Il aimerait poursuivre ses études ou bien pouvoir travailler dans un domaine plus artistique.

L'oncle Alphonse, le frère de Léo et le parrain de Félix, venu expressément de Québec pour le vingtième anniversaire de son filleul, va changer beaucoup de choses dans la vie du jeune homme...

4

FÉLIX À QUÉBEC

« Flanc mou, je t'amène avec moi en vacances pour deux semaines. Fais ton baluchon », lance l'oncle Alphonse à Félix.

Le jeune adulte ne se fait pas trop prier. Surtout qu'il a l'impression de se tourner les pouces et de s'ennuyer la plupart du temps autour de la ferme.

Il est plus qu'emballé de sortir de Sainte-Marthe et de voir Québec, surtout que son frère Grégoire y est installé depuis quelque temps. Félix a vu des images de cette ville sur des cartes postales et dans son livre de géographie.

« J'accepte avec plaisir », dit-il à son oncle avant de courir rassembler deux chemises, un gilet, un pantalon, sa brosse à dents et bien sûr ses précieux calepins de notes.

L'oncle Alphonse est un vendeur de radios et un homme élégant. Il ressemble à Clark Gable, l'acteur américain en vogue à cette époque. Alphonse a vite repéré chez son neveu plusieurs atouts qui feraient de lui un excellent colporteur. Il pense que son filleul, grâce à son entregent, à sa personnalité et à sa diction presque parfaite, pourrait vendre des produits de beauté ou encore de petits appareils ménagers de porte à porte.

À peine sont-ils arrivés chez lui que l'oncle Alphonse invite son neveu à l'accompagner en ville. Il pourra se balader et découvrir les environs pendant que lui-même ira à un important rendez-vous.

Félix a droit à un premier tour rapide de la ville. Les plaines d'Abraham, le château Frontenac, la Haute-Ville et la Basse-Ville, les rues étroites… Tout ça l'emballe.

Avant de laisser Félix à quelques pas du château Frontenac, l'oncle Alphonse lui tend trois dollars. Le garçon est bien content. Il se dit qu'il utilisera

cette somme à bon escient en s'achetant de nouvelles chaussures, puisque ses vieilles godasses
trouées sont sur le point de tomber en morceaux.

« J'en ai pour au moins quatre heures », lance
Alphonse à Félix, qui salue son oncle de la main
et commence son aventure dans les rues de la
ville.

Le jeune homme passe la première demi-heure à
simplement regarder les gens passer. Ensuite, il
se met à gambader, s'arrête devant une vitrine,
puis une autre. Il regarde partout comme une gi-
rouette. Finalement, il se met à la recherche d'un
marchand de chaussures. Il entre dans une première boutique.

« Je cherche des souliers », dit-il au commis.

Sans que Félix comprenne vraiment pourquoi, le
vendeur lui propose plutôt un chapeau, un chapeau vert comme le gazon. Félix, aucunement in-
téressé par le chapeau, tente tant bien que mal
d'exprimer qu'il cherche plutôt des chaussures.

Mais aucun mot ne sort de sa bouche. Lui qui est pourtant habituellement si volubile n'arrive pas à exprimer son absence d'intérêt pour cette coiffe d'une couleur particulière.

Et même, pour ne pas déplaire au commis, Félix achète le chapeau vert gazon. Il sort de la bou-. tique avec ses vieilles chaussures et un nouveau chapeau d'un vert hideux. Il va se souvenir long-temps de sa première séance de magasinage dans la grande ville.

Maintenant qu'il a écoulé un temps précieux avec cette histoire de chapeau, Félix décide de ne pas perdre de vue son objectif de la journée, qui est de visiter le fameux studio de radio dont lui a parlé son oncle. Il marche jusqu'à l'hôtel Victoria. Sur la façade, il y a une marquise et, juste à côté, un panneau indiquant « Radio CHRC en haut ».

Félix entre dans l'édifice, monte l'escalier et se retrouve dans les locaux de la radio. Une dame l'accueille :

« Bonjour monsieur, puis-je vous aider ? » demande-t-elle poliment.

« J'aimerais visiter », répond tout aussi poliment Félix.

La dame disparaît quelques instants dans un corridor, revient quelques secondes plus tard, suivie par un homme en complet.

« Bonjour monsieur, je suis Lionel, directeur de la radio, et je vais vous faire visiter avec plaisir. »

Félix est enchanté de voir les studios et toutes les installations de la radio. Pendant le petit tour, Lionel lui pose plein de questions. D'où vient-il ? Quelle est son expérience ? Qu'est-ce qu'il aime dans la vie ? Félix se contente de répondre par des phrases courtes et polies.

« Je vous engage, j'aime votre voix. Vous serez annonceur et animateur. Présentez-vous demain matin à six heures », lui dit Lionel à la fin de la visite.

Félix n'en croit ni ses yeux ni ses oreilles. Il vient de trouver son premier emploi à la radio ! Il a bien hâte d'annoncer la nouvelle à son oncle et à sa famille.

Le jeune homme réalise un rêve. Il va enfin avoir un véritable emploi, un salaire et une liberté. Il pourra aussi acheter la motocyclette qu'il veut depuis si longtemps. C'est une nouvelle vie qui commence.

***

Oussama et sa mère sont chez eux. Rosa tient entre ses mains un livre biographique avec en couverture la photo de Félix.

« Moi aussi, j'aimerais travailler à la radio », lance Oussama.

Depuis que le garçon a jeté un regard sur l'imposante statue, il se passionne vraiment pour Félix Leclerc.

« À l'époque de monsieur Leclerc, les choses étaient bien différentes. Aujourd'hui, on ne décroche pas un emploi dans une station de radio en y entrant ! Tu devras faire des études et même aller à l'université. Mais je suis certaine que tu vas y arriver si tu y crois vraiment », lui dit Rosa.

***

Dès le lendemain, à l'aube, Félix entre à la radio pour sa première journée de travail. Il s'installe derrière le micro. Il lit les nouvelles, les bulletins météo, des discours politiques, des recettes culinaires, et il présente des artistes, des entrevues et des chansons.

Il prête aussi sa voix à des publicités de pain, de soupe, de voiture, de détersif et de combien d'autres produits. Et tout ça, en anglais et en français ! Félix travaille parfois jusqu'à 18 heures par jour derrière le micro.

Il se plaît bien dans cet univers qui lui permet de parfaire sa culture. Lorsqu'il n'est pas en ondes, il passe des heures à la discothèque à écouter de la musique et à découvrir de nouveaux artistes. Dans le petit appartement qu'il partage avec son frère Grégoire, il consacre beaucoup de temps à lire.

Il lit des auteurs de théâtre tels que Molière et Shakespeare. Il continue de noircir ses calepins de ses compositions. Il commence aussi à écrire de courtes pièces de théâtre et à suivre des cours de guitare. Le soir, avec son frère Grégoire, il sort dans les cabarets populaires de la ville. Il y entend Tino Rossi, Maurice Chevalier et bien d'autres.

Félix passe trois années à cette station de radio, la plus écoutée à Québec. Puis, un jour, il se rend compte qu'il en a assez, qu'il a envie d'abandonner son emploi parce qu'il a plus souvent l'impression d'être un vendeur qu'un animateur.

Il refait alors son baluchon, saute sur sa motocyclette et retourne chez ses parents.

***

Roméo s'affaire à nettoyer, avec un linge humide et un produit spécial, les bottines de la statue de Félix. Il frotte doucement, en faisant de petits cercles, comme s'il polissait la statue.

« Regarde maman, c'est Roméo ! » dit Oussama, qui saute sur sa planche et avance à vitesse grand V vers le vieil homme.

« Bonjour, Roméo ! J'ai beaucoup lu sur ce géant depuis notre rencontre et je sais beaucoup de choses sur lui maintenant », lance le garçon avec une certaine fierté dans la voix.

Roméo rigole en continuant d'astiquer le bronze.

« Je dois nettoyer la statue presque tous les jours, dit-il, car les pigeons s'en donnent à cœur joie. Si seulement ils savaient à qui ils ont affaire, ils se garderaient peut-être une petite gêne. »

Oussama rit à son tour, et Roméo enchaîne :

« Dis-moi, jeune homme, est-ce que tu sais qu'elle est la première chanson qu'a écrite Félix ? »

« Oui ! C'est *Notre sentier*. Mais je n'ai jamais entendu cette chanson. Même qu'on n'a jamais encore entendu une chanson de Félix. On a surtout lu sur son enfance et le début de sa vie jusqu'à maintenant. »

Roméo se met alors à chantonner *Notre sentier*. Puis, il ajoute :

« Félix a composé cette chanson en 1934, parce qu'il était nostalgique du coin de pays de son enfance à La Tuque. Attends, j'ai quelque chose pour vous. »

L'homme fait quelques pas vers sa besace, qu'il a déposée sur le sol un peu plus loin. Il y plonge sa main pour en sortir un disque compact.

« Tenez, c'est pour vous deux. Il y a là-dessus les plus grandes chansons de Félix. Je le traîne dans mon sac depuis notre rencontre et j'espérais bien retomber sur vous un jour. »

« Merci beaucoup, monsieur ! On va l'écouter avec plaisir », dit Rosa.

La mère et l'enfant saluent l'homme de la main avant de reprendre leur chemin.

Roméo poursuit son travail. Mais comme la statue est très grande, car elle mesure près de 3,5 mètres, il a peine à se rendre jusqu'à la moitié du corps du poète.

« C'est vrai qu'il est grand, notre Félix », dit Roméo à voix haute.

5

FÉLIX S'EN VA-T-EN GUERRE?

Pendant qu'il est chez ses parents, Félix donne un coup de main sur la terre. Il rechausse ses bottes de « bœuf-man », mais cette fois-ci, il a le cœur léger. Cela lui fait du bien de retrouver la campagne et l'air frais. Pendant ce temps, il griffonne des chansons et il écrit surtout des sketchs et des scénarios de radio feuilleton.

Il fait de temps en temps de l'animation à la station CHLN de Trois-Rivières, ce qui est fort pratique puisque c'est à cinq minutes de motocyclette de la maison familiale.

Durant son court passage à cette station de radio, Félix fait la rencontre d'un certain Yves Thériault, qui rêve tout comme lui de refaire le monde et d'être un grand écrivain. Les deux hommes deviennent rapidement des complices.

Yves anime une émission, le samedi matin, qui a pour titre *Illya et Gomez*, une émission au ton léger. Il offre à Félix de jouer le rôle d'Illya alors que lui-même prêtera sa voix au personnage de Gomez.

Les deux fantaisistes s'amusent comme des fous à raconter des blagues, à pousser la chansonnette et à jouer des airs de rumba, une musique cubaine. Ils sont prêts à tout pour faire rire leurs auditeurs.

Félix explore son côté comique, un trait de caractère qu'il montrera bien peu souvent et qui pourtant fait bel et bien partie de sa personnalité. Depuis l'enfance, il a toujours été le bouffon et le joueur de tours de la famille!

Durant cette deuxième partie des années 1930, la radio est en pleine effervescence. À Montréal, en 1936, on fonde Radio-Canada.

Félix et son ami Yves suivent avec un vif intérêt tout ce qui se passe du côté de la grande ville. Le premier feuilleton diffusé sur les ondes de Radio-Canada, qui a pour titre *La pension Velder*, obtient un immense succès. L'artiste Gratien Gélinas fait beaucoup parler de lui grâce à son personnage nommé Fridolin.

Félix désire participer à tout ce qui se passe à Montréal et trépigne à l'idée de prendre part à cette effervescence. Il se sent parfois découragé. Il a encore l'impression de tourner en rond. Il sait que c'est du côté de la métropole que tout est possible pour les artistes. Il rêve de faire le grand saut, et idéalement dans un avenir pas trop lointain.

« Mon gars, laisse le temps faire son œuvre. La récolte est à l'automne et tu n'es qu'au printemps de ta vie », lui rappelle son père.

Mais Fabiola, de son côté, a bien compris que son Filou doit partir de la maison pour enfin s'épanouir.

« Tu as trop de talent pour perdre ton temps ici et vivre tel un oiseau en cage. Tu as besoin de plus d'espace et de liberté », lui conseille-t-elle.

À la fin de l'été 1939, de plus en plus convaincu qu'il doit effectivement faire bouger les choses, Félix prend la décision de se rendre à Montréal pour tenter sa chance.

Mais, de l'autre côté de l'Atlantique, les Allemands envahissent la Pologne, puis la France. L'Angleterre a déclaré la guerre à l'Allemagne et il est d'augure que le Canada emboîtera le pas en envoyant au front ses hommes en santé.

Félix est jeune, de bonne taille et il semble en bonne santé. Il pourrait être appelé à se joindre à l'armée d'un jour à l'autre. Cette idée le terrorise. Il n'est pas question pour lui de servir de chair à canon.

Il écrit au ministre de la Défense nationale :

Mon cher ami,

Vous qui avez cheveux blancs et expérience, vous comprendrez un fils qui vous demande intervention afin qu'on ne m'appelle pas aux armées. Je préférerais rester ici dans l'ennui et la vie ordinaire, plutôt que d'aller faire ces folles randonnées en bateau ou en avion rapides. Je n'ai pas l'âme pour vivre en groupe, je ne me vois pas tenir un fusil, tirer sur un ennemi qui pourrait être un ami. Je ne veux pas tuer, je ne veux pas mourir et je ne ferais pas un bon soldat.

Votre dévoué serviteur, qui attend réponse par courrier tout au moins avant de recevoir mon appel à me rendre à la guerre.

Félix Leclerc

Félix n'a jamais reçu de réponse du ministre de la Défense. Mais l'enveloppe contenant le redoutable papier jaune, elle, arrive bel et bien. Félix est convoqué pour un examen médical complet.

La rumeur veut que les garçons ayant les pieds plats soient refusés sur-le-champ. Félix s'empresse d'examiner ses pieds, mais malheur! il a les pieds bien ronds.

Comme il se sent en forme et qu'il a une bonne stature, il est convaincu qu'il sera envoyé en Europe en uniforme.

Le jour J, Félix est appelé dans une salle où des médecins et des infirmières examinent de jeunes hommes. Certains essaient de faire croire au médecin qu'ils ont une maladie, une grave infection ou un handicap, mais ça ne marche pas, alors on leur donne leur billet pour la guerre.

Voyant cela, Félix se dit qu'il va plutôt jouer la carte du gars qui est prêt à tout pour partir à la ligne de feu. Il répond à plusieurs questions sur son état de santé. On lui fait des prises de sang. Il passe plusieurs tests, dont un test pulmonaire.

Félix obtient une note élevée, c'est-à-dire qu'il est déclaré 100 % incapable de faire un bon soldat. Il est trop maigre, il n'a pas d'endurance, il a aussi un souffle au cœur et il a un sérieux problème aux bronches. Du moins assez sérieux pour devoir rester au Canada.

Félix sort de la salle un peu perplexe : il ne sait plus trop s'il doit se réjouir ou bien s'en faire, puisque son bilan de santé n'est pas des plus rayonnants.

Pendant la Deuxième Guerre mondiale, environ 620 000 Canadiens ont été envoyés outre-mer. Il y a eu parmi eux 41 000 morts et 53 000 blessés ou portés disparus.

Resté chez lui, Félix s'est fait un devoir de condamner la guerre et ses souffrances.

6

FÉLIX À RADIO-CANADA

« Je veux travailler à Radio-Canada », déclare Félix à ses parents.

Il prend le taureau par les cornes et se rend en ville dans l'intention d'aller se présenter à la direction de la radio nationale. Les bureaux de la station sont en plein cœur du centre-ville de Montréal, sur la rue Drummond.

S'il est assez facile d'entrer dans les bureaux de Radio-Canada, il n'est pas aussi simple d'obtenir un rendez-vous avec les patrons. Le premier jour, Félix arpente les corridors. Il sourit. Il se présente. Mais personne ne semble s'intéresser à ce jeune homme maigrelet aux cheveux en broussaille et aux airs de bûcheron.

Il y a des dizaines de comédiens, d'annonceurs, de chanteurs, de musiciens, de techniciens ou de simples visiteurs qui déambulent telles des fourmis dans la multitude de corridors. La station de Radio-Canada est devenue en peu de temps l'un des endroits les plus branchés de Montréal. Ici se croisent pas moins de cent soixante employés du réseau français, tout autant du réseau anglais, et ils se partagent douze studios de radio.

Le premier jour, Félix rentre chez lui bredouille. Mais il ne se décourage pas. Jour après jour, il retourne à Radio-Canada.

Il y croise des groupes de jeunes qui discutent ensemble de politique et d'actualité. Ils semblent faire partie de l'élite intellectuelle. Ce sont des gens qui ont étudié dans les collèges classiques.

Félix se dit que ces gens hypercultivés ont beaucoup plus de chances que lui de se faire remarquer et de décrocher un emploi dans cette grande maison radiophonique. Mais il continue d'être patient, convaincu qu'un petit coup de chance va un jour lui permettre d'obtenir un entretien avec un patron.

Après six mois à faire la route entre Sainte-Marthe et Montréal, et à passer de nombreuses heures dans les corridors de la station à espérer se faire remarquer, voilà que le grand moment arrive enfin.

« Désirez-vous rencontrer quelqu'un ? » lui demande une jeune femme en s'approchant de lui.

Félix est tellement étonné qu'il arrive à peine à dire quelques mots.

« Mon nom est Félix, Félix Leclerc… J'ai de l'expérience à la radio et j'écris des textes, et je me dis que si quelqu'un voulait bien accepter de les lire, je serais bien heureux de savoir ce qu'il en pense. »

« Certainement. Monsieur Guy Mauffette est dans son bureau, c'est lui qui réalise *Un homme et son péché*. Vous en avez sûrement entendu parler ! »

Félix n'en croit pas ses yeux ni ses oreilles. Il a l'impression de rêver. Il n'en revient pas qu'enfin quelqu'un accepte de lui accorder quelques minutes. Il se dirige vers la porte de Guy Mauffette, réalisateur. Il frappe doucement et une voix forte lui dit d'entrer.

Dès que le réalisateur entend la voix de Félix, il n'a pas besoin d'en savoir plus sur lui. Il lui confie le rôle de Florent Chevron, l'amoureux timide de la fille du notaire Le Potiron dans le feuilleton *Un homme et son péché*.

« Va chercher ton baluchon et reviens dans deux jours. Je m'occupe de toi et je vais même avoir pour toi une chambre à quelques pas d'ici. »

Félix est ébahi. Cette vie d'artiste à laquelle il aspirait tant devient possible. Il saute de joie ! Il n'a qu'une envie, c'est d'aller annoncer la grande nouvelle à ses parents, qui seront sûrement très fiers de lui.

Jouer un personnage dans un feuilleton radiophonique est un nouveau défi pour lui. Mais il a confiance qu'il sera capable d'entrer dans la peau d'un autre. Il pense aux soirées de théâtre à

La Tuque au cours desquelles tous les commerçants du village devenaient, le temps d'une pièce de théâtre, des comédiens. Il se dit qu'il fera comme eux.

Le personnage de Florent Chevron devient rapidement la voix de l'amoureux idéal pour les jeunes filles du Québec. Il suffit que Florent dise une phrase comme « Ma belle, j'aimerais vous voir ce soir », pour que plusieurs jeunes filles lui écrivent et répondent à sa demande si bien lancée. Par la voix de Félix, Florent devient un véritable prince charmant.

Félix est amusé par toute cette attention autour de son personnage. Il est flatté de recevoir des lettres de jeunes filles émues, mais depuis peu, son cœur ne bat plus que pour une seule.

Elle se prénomme Andrée et elle travaille aussi à Radio-Canada, au service de la publicité. Dès le premier regard, Félix est tombé amoureux d'elle. Andrée n'est pas insensible aux beaux yeux et aux sourires du jeune homme, mais elle attend un signal de lui, une invitation à un rendez-vous galant.

Félix, timide de nature, ne sait pas trop comment l'aborder. Il cherche un prétexte pour retourner au bureau d'Andrée. Un jour, il prend son courage à deux mains et lui fait une grande demande.

« Euh… J'ai trois manuscrits en chantier qui ont pour titre *Adagio, Allegro* et *Andante*. Je cherche une bonne secrétaire pour les dactylographier et j'ai pensé à vous », lui dit Félix, le plus timidement du monde.

Andrée, amusée et surprise par la demande, accepte avec plaisir. Le petit stratège de Félix porte ses fruits. Ils deviennent inséparables et un an plus tard, un matin de juillet, ils se marient. Ce jour-là, un vent joueur de tour souffle si fort que la coiffe blanche d'Andrée s'envole.

Félix tente tant bien que mal de récupérer le chapeau de son épouse. Fabiola, amusée par la scène, annonce avec un sourire :

« Selon un vieil adage, cela veut dire que vous voyagerez beaucoup. »

Fabiola ne se trompe pas. Les prochaines années de Félix et d'Andrée seront parsemées de petits et de grands voyages.

7

LA NOUVELLE VIE DE FÉLIX

Félix a à peine un pied dans la grande boîte de Radio-Canada que les offres s'enchaînent pour lui. Henri Deyglun, un auteur de feuilletons populaires, aime bien le petit air champêtre de Félix de même que son côté désinvolte et anticonformiste, si peu commun à l'aube des années 1940. Il lui offre un rôle dans son nouveau radioroman, *Les Secrets du docteur Morhange*.

Félix est emballé. Jouer à la radio, c'est tout un univers. Un monde rempli d'imaginaire et pour lequel il faut souvent user d'astuces pour créer des sons qui se rapprochent le plus possible de la réalité.

Par exemple, le bruiteur froisse une simple boîte de céréales pour imiter le bruit des pas sur la neige. Félix est fasciné par la magie de la radio et il est heureux comme un roi dans son nouvel environnement.

Il est d'autant plus content qu'on fasse enfin appel à lui pour qu'il écrive une série de sketchs. Il gagne soixante dollars par mois pour deux ou trois émissions par semaine. Ce n'est pas une fortune, mais cela lui permet de se débrouiller.

La vie dans la grande ville coûte cher. Félix aimerait avoir un peu plus d'argent pour mettre de belles cordes neuves à sa guitare et pour avoir le luxe de s'acheter quelques crayons et des cahiers.

Il prend donc un emploi à temps partiel d'aide-embaumeur dans une entreprise funéraire. Félix constate rapidement que ce métier n'est pas pour lui et qu'il préfère travailler avec les vivants! Après quelques semaines, il donne sa démission.

Heureusement, à Radio-Canada, tout va de mieux en mieux et les feuilletons sont de plus en plus populaires. Félix s'impose en tant qu'auteur. On l'invite parfois à réaliser des émissions spéciales. On lui confie celle consacrée au centenaire de la naissance de Sir Wilfrid Laurier, ancien premier ministre du Canada.

Il écrit de plus en plus. Il acquiert une certaine notoriété grâce à une série de pièces dramatiques qui ont pour titre *Je me souviens* et qu'on diffuse à Radio-Canada.

En moins de quelques semaines et grâce à Guy Mauffette, qui est devenu son ami, la vie de Félix change complètement. Non seulement il fait de la radio, mais il vit aussi de sa plume !

On fait appel à lui pour écrire des histoires de pionniers et d'habitants. Le public est charmé, et de plus en plus nombreux à écouter religieusement ses récits. Un jour, Guy Mauffette lui fait toute une surprise en lui annonçant qu'il lui offre d'interpréter sa première chanson à la radio. Félix chante donc *Notre sentier* à l'émission *Le restaurant d'en face.*

Le jeune homme a beau être comédien et auteur pour la radio, son plus grand bonheur est toujours la musique. Habituellement, on l'invite pour chanter les pièces de Charles Trenet ou de Mistinguett, mais cette fois-ci, il peut présenter SA composition.

À la fin de l'année 1940, un fascicule publié par Radio-Canada confirme Félix comme étant l'un des trois auteurs les plus prometteurs de sa génération, avec Robert Choquette et Claude-Henri Grignon.

Les journaux ne tarissent pas d'éloges pour le jeune auteur. « Il y a en lui un véritable créateur et il n'est pas du nombre de ces simples fabricants mercantiles de détestables mélodrames », dit l'un. « Ce Félix Leclerc apporte quelque chose de nouveau dans le petit patelin de la littérature canadienne », s'exclame un autre.

Non seulement sa vie professionnelle est complètement transformée, mais sa vie sociale l'est tout autant. Félix se fait des amis facilement et une rencontre marquante lui ouvre les portes d'un théâtre.

C'est en 1941, à la pension Archambault où il vit, que Félix fait connaissance avec le père Émile Legault, le directeur de la troupe des Compagnons de Saint-Laurent. Touché par le talent de comédien de Félix, il invite celui-ci dans sa troupe.

Félix rêve de jouer sur scène depuis qu'il a vu Gratien Gélinas dans son personnage de Fridolin au Monument-National, un théâtre montréalais. Il se dit que ce doit être génial de jouer ainsi chaque soir devant un public.

Le père Legault le prend sous son aile et lui enseigne les rudiments du métier de la scène. Avec sa troupe, Félix joue de grands classiques.

Comme il est plutôt maigrelet, on ne lui confie pas des rôles de jeunes premiers, comme à la radio! Son air campagnard, qu'il a conservé malgré sa vie dans la grande ville, fait de lui le candidat idéal pour incarner des personnages de paysans dans les pièces de Molière.

Le premier rôle que le père Legault confie à Félix est celui d'un valet.

« Tiens, prends ça, tu as quinze répliques à apprendre pour demain matin. Nous passerons te chercher à huit heures. Tu viens avec nous aux États-Unis. Nous partons en tournée en Nouvelle-Angleterre », lui lance l'homme.

Félix, qui cherchait justement une nouvelle activité, est désormais convaincu qu'il a une bonne étoile, puisqu'il ne lui arrive que de belles choses depuis quelque temps !

Le voilà désormais acteur. Il rêve même un instant à Hollywood. S'il devenait un jour aussi célèbre que Gary Cooper ou Humphrey Bogart, les deux grandes vedettes hollywoodiennes de l'époque ?

Le lendemain, une vieille ambulance remplie des jeunes comédiens de la troupe s'arrête devant chez Félix. C'est à bord de ce tas de ferraille qu'ils partent à la conquête des États-Unis.

Le soir même, Félix joue sur la scène d'un théâtre de Boston. Comme il n'a qu'un petit rôle dans la pièce, il est aussi un peu l'homme à tout faire de la troupe. Il est chauffeur, technicien et régisseur. Il fait le ménage de la salle après le spectacle.

Après quelques représentations, Félix se rend compte que jouer la comédie sur une scène, il n'aime pas tellement ça. Le père Legault lui fait alors une autre proposition.

« Dis-moi Félix, je t'ai entendu chanter un peu, le soir, quand tu conduis l'ambulance et tu as une belle voix. Je t'ai vu écrire des chansons dans tes cahiers et tu grattes la guitare. Que dirais-tu si, pendant les entractes, tu présentais quelques-unes de tes compositions ? »

C'est à Rimouski, quelques jours plus tard, que Félix commence à divertir le public de la troupe avec ses chansons, pendant l'entracte. Il arrive seul sur scène avec sa guitare. Il pose le pied sur une chaise et se met à chanter.

Félix est surpris d'entendre les gens l'applaudir chaudement. Y aurait-il un public pour ses chansons? Après le spectacle, alors qu'il sort de sa loge, un illustre inconnu vient le féliciter.

« J'aime beaucoup votre musique, j'aime que vous parliez de notre pays avec nos mots », lui dit l'homme.

Félix est flatté. Mais il sait en même temps qu'il ne fait pas l'unanimité. Dans la troupe, les comédiens ne comprennent pas tous son style musical.

« Si j'étais toi, je me créerais une autre personnalité. Tu as une belle voix, mais pourquoi siffloter sur scène entre les couplets et mettre ton pied sur une chaise? Tu devrais t'inspirer des grands *crooners*, des chanteurs de charme comme Bing Crosby ou Frank Sinatra », lui a d'ailleurs dit l'un des comédiens de la troupe.

Pas question pour Félix d'être un autre et encore moins de changer sa façon de faire. Il a confiance en son instinct et en qui il est.

En cette année 1942, Félix a des projets plein la tête. Il veut certainement continuer d'écrire des feuilletons et de faire de la radio. Mais il caresse aussi un nouveau rêve, celui d'écrire sa première pièce de théâtre pour ses amis comédiens.

8

DES PROJETS D'ÉCRITURE

« Qu'est-ce que vous lisez ? » demande Oussama à Roméo, bien assis à son endroit habituel, en plein cœur du parc La Fontaine.

« Ça, c'est *Adagio,* le premier livre que Félix a publié en 1943. Il y a là-dedans une série de 18 contes de toutes sortes que Félix avait écrits pour la radio. Je peux te le prêter si tu veux. Moi, je l'ai lu mille fois », dit Roméo en tendant le livre au garçon.

« Votre géant, il sait vraiment tout faire. Il chante des chansons, il écrit des livres… »

« Oui, effectivement, il a fait beaucoup de choses, Félix ! Il a écrit des pièces de théâtre aussi », ajoute Roméo.

***

Le livre de contes *Adagio* connaît un vif succès dès sa sortie en librairie. Les 4 000 exemplaires s'envolent comme des petits pains chauds. Félix a alors presque trente ans.

Lorsqu'il tient le livre entre ses mains, il ressent une grande fierté, puisque quasiment tout ce qu'il a écrit dans sa vie se trouve dans ce recueil.

L'année suivante, *Allegro* et *Andante*, deux autres recueils du même genre, viennent compléter la trilogie et obtiennent eux aussi un beau succès.

Mais certains critiques littéraires ne sont pas tendres envers Félix et y vont de commentaires désobligeants : « Comment un animateur de radio peut-il être pris au sérieux ? » lance l'un. « Il aurait dû naître muet et sans bras », affirme cruellement un autre.

Qu'à cela ne tienne ! Le succès populaire de la trilogie de Félix le confirme en tant qu'auteur.

C'est à ce moment-là que naît Martin, le premier garçon de Félix et d'Andrée. La petite famille déménage dans la région de Vaudreuil.

Puis, un triste événement survient. La maman de Félix, la belle Fabiola, décède.

Le départ de celle qu'il aimait tant est très difficile pour Félix. Elle était pour lui un guide, une confidente. Il est déchiré. Il ressent le besoin de s'éloigner un peu, de se retirer. Il fait un premier voyage à l'île d'Orléans.

Il passe tout l'été et une partie de l'automne en retraite sur l'île. Il médite, il écrit beaucoup, il écoute les histoires des pêcheurs et fait de longues promenades au bord du fleuve.

Félix est bien dans ce havre de paix qui devient sa terre consolatrice. Il a l'impression d'avoir trouvé l'endroit de ses rêves. Il y écrit d'ailleurs *Le fou de l'île,* un roman qui s'inspire grandement de ce qu'il vit à ce moment-là.

Lors de cette période d'exil, Félix écrit aussi, après une visite à La Tuque et une rencontre avec ses amis d'enfance, les premières lignes du livre

Pieds nus dans l'aube, un roman dans lequel il raconte son enfance.

À son retour à Vaudreuil, Félix présente *Le fou de l'île* à Fides, sa maison d'édition. Mais le manuscrit est refusé parce qu'il est trop long et que l'histoire a un caractère trop païen. Félix est offusqué par ce refus, mais il se penche aussitôt sur d'autres projets d'écriture. Il s'affaire à rédiger *Maluron,* une pièce de théâtre qui raconte l'histoire d'un fils d'habitant cherchant sa voie parce qu'il n'est pas fait pour la vie rurale.

Cette première pièce de Félix est présentée par les Compagnons de Saint-Laurent au Gesù à Montréal, une ancienne église désaffectée convertie en théâtre par la troupe. Ce soir-là, Félix est nerveux. C'est sa première pièce créée sur scène.

Le spectacle est bien accueilli par le public. Félix se sent encouragé et compris. Il est heureux de voir qu'on l'accepte en tant qu'auteur de théâtre. D'autant plus qu'il se fait un devoir, au même titre que Gratien Gélinas, de créer un théâtre canadien-français, avec des personnages qui nous ressemblent. Cela lui donne des ailes pour écrire d'autres pièces. Il a des projets plein la tête, dont celui de former sa propre troupe de théâtre.

En compagnie de son ami de toujours, Guy Mauffette, et de son beau-frère, Yves Viens, Félix fonde la troupe V.L.M., nom trouvé à partir de la première lettre du nom de famille de chacun.

À cette époque, le milieu du théâtre est en plein développement et plusieurs compagnies naissent, dont le Théâtre du Rideau-Vert dans la rue Saint-Denis. Le but de Félix est de parvenir à fonder son théâtre sans l'aide de subventions du gouvernement. En effet, en versant des subventions aux artistes, le gouvernement les oblige à respecter ses règles et un certain style. De manière à garder la liberté de jouer des pièces d'ici et d'avoir un style plus personnel, Félix ne demande pas de subvention.

« J'ai fait les calculs et si chacun de nous trois investit cent cinquante dollars, eh bien, nous pourrons jouer ton texte *Le p'tit bonheur* au Centre des loisirs de Vaudreuil », soutient Guy Mauffette.

Le théâtre V.L.M. devient rapidement une histoire de famille et d'amis. Tout le monde doit mettre la main à la pâte pour que le projet prenne forme. Les femmes et les enfants créent les décors, les costumes et les invitations. Félix, lui, ne pense qu'à bonifier le texte de sa pièce pour qu'elle soit à la hauteur. Il ne veut pas décevoir son monde.

Il a l'idée de composer des chansons, dont l'une qui a pour titre *Le p'tit bonheur*, qui servira à faire les liens entre les différents tableaux de la pièce et qu'il chantera lui-même sur scène.

Quatre acteurs (Guy Mauffette, Huguette Oligny, Jean-Pierre Masson et Julien Lippé) se partagent les dix-neuf rôles. C'est le 23 octobre 1948 que la pièce *Le p'tit bonheur* est présentée pour la première fois à Vaudreuil.

Lors de cette soirée, la salle n'est pas comble ; le deuxième soir non plus. À la troisième représentation, il y a encore plus de sièges vides. Le spectacle est ensuite présenté à Montréal, mais le public n'est toujours pas au rendez-vous. Plusieurs des quarante représentations prévues au Gesù sont annulées.

Le p'tit bonheur est un échec pour Félix et pour la troupe. C'est le cœur gros que l'auteur remise les costumes de la pièce dans une malle. Mais il y a un aspect positif à cette aventure : le public a découvert le chanteur qu'il est. En effet, Félix a gagné une certaine aisance et éprouve un grand plaisir à se retrouver sur scène avec ses chansons et sa guitare. Il se dit que le chanteur en lui est prêt à éclore et que, peut-être, la voie de la musique est celle à prendre.

Il décide qu'il consacrera les prochaines années à la chanson, sans tourner complètement le dos au théâtre.

Il referme avec tristesse et regret le grand cahier de cette aventure que fut *Le p'tit bonheur*.

Il ne le sait pas encore, mais plus tard, cette pièce sera jouée un peu partout au Québec et même en Europe! Cette fois, le succès sera au rendez-vous.

9

LA RENCONTRE AVEC JACQUES CANETTI

Un jour, alors qu'il est à bord de sa première voiture, une rutilante Austin 1948, avec son bon ami Guy, Félix lui parle de ses chansons et de son désir de les faire connaître davantage au grand public.

« Tu sais Guy, je vole à droite et à gauche, chez mes voisins, mes amis, dans les champs, parmi les animaux et les arbres, des histoires que je couche sur papier et qui deviennent des chansons. J'ai envie de partager ça avec le public. J'ai des titres comme *Bozo*, *La complainte du pêcheur*, *La gigue* et tant d'autres ! J'aimerais les enregistrer, mais je ne sais pas trop comment m'y prendre », lui confie Félix.

« Je suis content de l'entendre parler ainsi, mon ami. Je sais depuis longtemps qu'il y a un chanteur enfoui en toi qui ne demande qu'à sortir. Tu vas aller rencontrer les dirigeants de la maison de disques Archambault à Montréal et leur présenter ta musique. »

Peu de temps après, au printemps de l'année 1950, Félix obtient un rendez-vous avec Rosaire Archambault dans le local au coin des rues Sainte-Catherine et Berri, à Montréal.

Félix a apporté sa guitare et il joue quelques pièces pour monsieur Archambault. S'ensuit une discussion de près de trois heures qui se termine par une promesse de recevoir prochainement une réponse positive pour un contrat de disque.

Mais dans les semaines qui suivent, Félix n'a pas de nouvelles de Rosaire Archambault, qui semble ne plus s'intéresser à l'idée d'enregistrer ses premières chansons.

Félix est déçu, d'autant plus qu'il est convaincu d'avoir fait une bonne impression. Ses chansons semblaient plaire à monsieur Archambault et à son équipe. Il était convaincu, en sortant de leur rendez-vous, que c'était dans la poche et qu'il obtiendrait enfin ce fameux contrat de disque !

C'est dans son jardin, à planter des navets, des choux et des carottes, que Félix tente d'oublier cette grande déception. Mais une surprise l'attend ! Un jour, la sonnerie du téléphone de la maison de Vaudreuil retentit :

« Allô, Félix, c'est Jean Raffa. Dis-moi, il y a un important producteur français ici qui aimerait te rencontrer. Il cherche de nouveaux talents qu'il aimerait exporter en France. Est-ce que ça te dirait de venir à Montréal dans quelques heures ? »

Félix est perplexe à l'idée de se rendre en ville pour chanter devant un producteur d'outre-mer qui ne va certainement pas s'intéresser à lui. Mais il se laisse finalement convaincre de se présenter dans les studios de la radio de CKVL, à Montréal, plus tard en après-midi.

Il est à peine arrivé dans le studio qu'on lui présente Jacques Canetti, qui fait un passage éclair à Montréal. C'est un homme court avec un corps plutôt rond, de petits yeux globuleux, une bouche trop grande et un nez en trompette.

Monsieur Canetti a une imposante feuille de route. Il a donné leur première chance à Édith Piaf et à Charles Trenet, deux monuments de la chanson française. Il est aussi celui qui a convaincu la grande actrice et chanteuse Marlene Dietrich d'enregistrer des disques en français.

« On ne m'a dit que du bien de vous. J'ai hâte de vous entendre », affirme-t-il.

Sur ces mots, Félix empoigne sa guitare Gibson, qu'il a achetée à Québec par versements mensuels de deux dollars il y a quelques années. Il commence son tour de chant. Il enchaîne *Moi, mes souliers*, *Le p'tit bonheur*, puis *Bozo*.

Il chante des extraits d'autres chansons, il improvise un peu sous le regard amusé du producteur et de quelques autres personnes s'étant amassées dans le studio.

« OK, vous allez enregistrer quelques chansons aujourd'hui pour moi dans un vrai studio. Ensuite, soyez à mon hôtel ce soir à 19 heures et je vais avoir un contrat pour vous. Ce sera un contrat de cinq années », lui lance Jacques Canetti, visiblement emballé par ce qu'il vient d'entendre.

À l'heure convenue, Félix est dans le hall de l'hôtel Ritz-Carlton du centre-ville de Montréal et signe comme promis un contrat de disque avec la maison Polydor.

SIGNATURE

«Une magnifique carrière vous attend en France et avant la fin de l'année, vous présenterez un spectacle à mon théâtre, l'ABC, à Paris», confirme le producteur.

Une heure plus tard, celui-ci s'envole vers la France en emportant, dans ses valises, les enregistrements faits le jour même des chansons de Félix.

À trente-six ans, Félix en a vu d'autres et il décide de ne pas trop s'emballer face aux promesses du Français. Il se dit que s'il a eu du mal à faire connaître sa musique et à interpeller les magnats du disque ici au Québec, il ne voit pas comment un producteur venu de loin peut vraiment s'intéresser à lui. C'est trop beau pour être vrai.

Monsieur Canetti a beau être sympathique, cultivé, courtois et surtout sensible à la valeur des textes et des musiques de Félix, celui-ci ne se fait pas d'illusion. Pas question de se mettre la tête dans les nuages et de rêver à cette carrière promise outre-mer.

Félix retourne travailler sur sa terre et fleurir le jardin de sa maison du chemin de l'Anse à Vaudreuil. « Advienne que pourra », se dit-il.

10

LE TRIOMPHE EN FRANCE

En plein cœur de l'été 1950, Félix reçoit un télégramme de la France :

Bonjour Félix,

Ton disque tourne partout dans les radios en France et c'est un beau succès ici. Tu commences tes spectacles au théâtre ABC le 23 décembre.

Cordialement, Jacques.

Félix est scié en deux. Il n'en revient pas. La France lui ouvre vraiment ses portes ? « L'ABC, se dit-il, est sûrement une toute petite salle de quelques places ou un théâtre pour enfants. »

Mais une surprise de taille l'attend lorsqu'il débarque à Paris. Il apprend que l'ABC est l'un des plus célèbres music-halls du monde et que les grands noms de la chanson sont montés sur cette scène !

Lorsque vient le temps de se présenter, Félix a les jambes molles comme de la guenille. D'autant plus qu'on lui a dit que le Tout-Paris est dans la salle en cette soirée de première.

Tout le monde semble s'être passé le mot et veut découvrir le chanteur que l'on surnomme « Le Canadien ». Des vedettes de cinéma et de la chanson sont dans la salle, d'importants critiques de musique aussi, des gens d'affaires, des directeurs de maisons de disques... Félix est mort de trac !

Mais il se ressaisit en se disant que le pire qui puisse arriver, c'est qu'il se plante et qu'on le retourne chez lui, au Québec. Il se dit aussi qu'au pire, cette aventure lui aura permis de traverser l'océan et de découvrir Paris.

« Deux minutes », lance-t-on à Félix.

De l'autre côté du rideau, un animateur le présente :

« Mesdames, mesdemoiselles et messieurs, vous allez découvrir ce soir un nouveau chanteur. Il vient du très lointain Canada, pays des immenses moissons de blé et des lacs innombrables. Voici Félix Leclerc. »

Le rideau s'ouvre. Félix, vêtu de son éternelle chemise à carreaux, d'un pantalon brun usé et de souliers ayant beaucoup voyagé, s'avance sur la scène. Il tient dans une main sa guitare et, dans l'autre, une chaise sur laquelle, fidèle à ses habitudes, il pose le pied.

Félix exécute son tour de chant, son premier hors de chez lui. Il ferme parfois les yeux, il voit le visage de sa belle Andrée, celui de son fils Martin, il pense à son jardin, à son lac, à sa forêt, à sa contrée, qui lui semble si lointaine. Il chante d'abord son *P'tit bonheur*, puis *Bozo, Notre sentier* et plusieurs autres.

C'est un triomphe. Le public en redemande !

Des grands comme Édith Piaf, Charles Trenet et Maurice Chevalier viennent même le féliciter dans sa loge. « Vous êtes l'un des plus grands poètes de notre époque. Avec vos chansons, vous nous faites voyager au cœur de votre immense pays », lui dit Maurice Chevalier. « Vous êtes le premier chanteur depuis plusieurs décennies à apporter du neuf dans la chanson française », affirme Charles Trenet. « Monsieur Félix, vos chansons sont tellement belles que je ne pourrais vous rendre justice en les interprétant. Continuez de les chanter vous-même et vous connaîtrez la gloire », prédit Édith Piaf.

Le lendemain, les critiques sont elles aussi dithyrambiques. « Félix a conquis Paris », « Félix Leclerc, un triomphe instantané », « Un vent de fraîcheur venu du Québec », titrent les journaux.

Au lendemain de cette première soirée, Félix est sur un nuage. Il appelle Andrée et Martin au Québec pour leur dire qu'ils doivent faire leurs valises pour venir le rejoindre à Paris. Ce voyage, qui ne devait durer que quelques semaines, sera plus long que prévu.

Afin de payer les billets d'avion de sa femme et de son fils, Félix vend les droits de sa pièce *Le p'tit bonheur* pour trois ans. Ce qui lui donne juste le montant qu'il lui faut.

Le succès de Félix en France se confirme. Après sa prestation à l'ABC, il fait une longue série de spectacles aux Trois Baudets. Ensuite, il part en tournée dans une quarantaine de villes françaises. Il obtient le prix prestigieux de l'Académie Charles-Cros grâce à son premier disque.

***

« Quand est-il revenu au Québec, votre géant ? » questionne Rosa.

Roméo, qui connaît la carrière de Félix sur le bout des doigts, répond :

« Il est revenu à Montréal quelques mois après. C'était en avril 1951 et il a été accueilli comme un dieu à l'aéroport par les médias et par le public, qui le considéraient comme un héros. À Montréal, le maire de l'époque, Camillien Houde, lui a même fait signer le livre d'or de la Ville. Le lendemain de son arrivée, les journaux du Québec titraient "Not' Félix est de retour !" Ce n'était pas rien ! Et dire qu'il était presque inconnu avant son départ pour la France… Comme quoi nul n'est prophète en son pays. »

« Ça devait être impressionnant de le voir sur scène », imagine Rosa.

« Oui, c'est justement cette année-là, en 1951, au Continental, à Montréal, que j'ai vu mon premier spectacle de Félix. C'était effectivement fort impressionnant. Félix était la nouvelle idole des Québécois. Mais il n'est pas resté longtemps, ensuite, d'autres spectacles l'attendaient partout dans le monde. Il a chanté en Afrique du Nord, puis en Italie et dans le reste de l'Europe. Ses chansons étaient sur toutes les radios. Il a même rencontré le pape Pie XII », s'emballe Roméo.

« Wow ! » lance Oussama, fort impressionné par ce que lui raconte l'homme.

« C'était le premier Québécois à obtenir un tel succès en Europe ? » demande Rosa.

« Oui, il était le premier et il a pavé la voie à plusieurs chanteurs du Québec, qui ensuite ont décidé de suivre ses traces et de partir pour Paris. Il a aussi influencé d'autres artistes européens, comme Jacques Brel, qui a avoué avoir décidé de se consacrer à la chanson après avoir vu Félix en spectacle à Bruxelles », raconte Roméo.

« Jacques Brel, je le connais, lui, c'est un autre grand de la chanson française », dit Rosa.

« Maman, j'ai une idée, je vais me déguiser en Félix Leclerc à l'Halloween ! »

Rosa et Roméo éclatent de rire.

||

FÉLIX RENTRE AU BERCAIL

Séances d'autographes avec Félix Leclerc
Samedi 4 juillet à 3 heures

C'est ce qu'indique une petite affiche sur la porte du magasin de disques Archambault dans la rue Sainte-Catherine, à Montréal. Félix est de retour au pays. Ce jour-là, lorsqu'il se pointe au magasin, il s'attend à signer juste quelques autographes. Mais il a toute une surprise lorsque sa voiture arrive à quelques mètres de l'établissement. C'est la cohue, on se bouscule aux portes. Il y a tellement de monde que la file d'attente s'étend sur plus de quatre coins de rue.

L'ambiance est folle au point qu'on doit faire entrer Félix par la porte arrière pour éviter les bousculades et la bataille. Le chanteur est souriant, il se prête au jeu des autographes pendant plusieurs heures. Il est heureux d'être de retour chez lui.

Avant son départ d'Europe, il avait prévenu son agent, monsieur Canetti, qu'il avait le mal du pays et qu'il voulait rester quelque temps chez lui, dans sa maison de Vaudreuil.

Son nouveau statut de vedette fait en sorte qu'il est très demandé partout. Tout le monde veut l'avoir en entrevue. Les médias se l'arrachent. L'homme de trente-neuf ans, qui n'est pas friand des médias, fait quelques rares apparitions dans les émissions de télévision populaires. Il obtient un grand succès partout où il passe.

Un jour, un réalisateur a une idée de mise en scène bien spéciale pour présenter Félix au public au début de son spectacle.

Il place simplement sur scène un tabouret et la guitare de Félix. À la levée du rideau, la salle se lève pour applaudir, et ce, avant même que le présentateur n'ait prononcé le nom de Félix. C'est comme si le public reconnaissait en ces deux objets, le banc et la guitare, une présence familière,

celle du chanteur tant aimé. Dans les coulisses,
celui-ci est amusé et fort ému.

***

« C'est toi, le réalisateur qui a eu cette idée? » de-
vine Oussama.

« Oui, c'est moi. Ce jour-là, je rencontrais Félix
pour la première fois. C'était tout un gentleman. Il
était affable et disponible. Moi, j'étais fort impressionné d'avoir ce géant à l'émission et de le voir
chanter en vrai. Je n'en revenais pas. C'était un
immense privilège de le recevoir », se souvient
Roméo.

***

Félix refuse souvent les entrevues. Lorsqu'on
l'appelle pour une émission de télévision, il dit
qu'il est plus beau à la radio et, quand on l'appelle pour la radio, eh bien, il trouve une autre
excuse !

Pendant cette période, juste après une longue tournée en Europe, il a surtout le goût d'être chez lui. Il refuse même une importante offre du réputé producteur français Bruno Coquatrix qui le veut à son Olympia de Paris.

Ce dont Félix a envie par-dessus tout, c'est d'écrire, chez lui, dans son grenier. Sur son bureau et autour de lui, il y a une multitude de livres, des montagnes de papiers qui s'empilent. Il y a aussi des bouts de chansons et des textes d'une nouvelle série télévisée que Félix écrit pour le compte de Radio-Canada.

La série a pour titre *Nérée Tousignant* et elle a un petit côté autobiographique puisqu'elle raconte l'histoire d'un poète de campagne qui décide un jour de s'installer en ville. Félix est bien content d'écrire pour la télévision, d'autant plus que cette toute nouvelle invention le fascine complètement. Il aime découvrir cet univers, il veut apprendre le côté technique, le jeu des caméras, l'enregistrement du son et plein d'autres choses.

L'artiste est heureux comme un roi chez lui. Il a sa routine bien à lui, qui débute le matin par une grande marche dans la forêt. Ensuite, il monte dans son bureau et, assis à sa table, d'où il a une belle vue sur un lac, il écrit.

Il se consacre à l'écriture jusqu'à midi et, l'après-midi, il part se balader à nouveau ou travailler sur sa terre ou dans son jardin de fleurs. Quand il écrit une chanson, il rassemble Andrée, Martin et ses voisins, Henri Deyglun et son épouse, Janine Sutto. Ils sont son premier public, les grands privilégiés qui ont la chance d'entendre avant tout le monde les compositions de Félix.

Même s'il prend un grand plaisir à écrire des chansons et à les chanter. Félix se rend aussi compte que la gloire lui pèse un peu et qu'il n'arrive plus à s'enthousiasmer autant qu'à ses débuts à l'idée de mener la vie de tournée. Il est épuisé juste à penser à repartir… Sa guitare lui semble être un gros sac de pierres qu'il doit porter sur ses épaules et qui le fait plier.

Question de s'ancrer encore plus chez lui, il achète, le 7 mars 1956, une fermette située tout près de sa maison de l'Anse à Vaudreuil. Il y a là une chèvre, un cheval, des vaches, des canards et des poules chinoises. Félix adore les animaux et il est heureux, entouré de toutes ses petites bêtes. Il dresse son chien Ti-Pouce à aller chercher délicatement les œufs dans le poulailler chaque matin et à les rapporter à la maison sans en abîmer la coquille.

Félix a des ambitions pour sa nouvelle grange. Il espère un jour y monter des revues théâtrales et des récitals où pourraient venir chanter ses amis Monique Leyrac, Claude Gauthier et plusieurs autres. Il y imagine une belle grande scène et une loge.

12

CHANGEMENTS DE PLANS

Comme son cher Félix ne va pas à lui, Jacques Canetti décide de se déplacer pour venir découvrir le havre de paix du chanteur canadien. Il faut dire qu'en ce printemps de l'année 1957, le producteur est lui-même fatigué et il a bien besoin de changer d'air. Félix l'initie aux plaisirs du grand air et de la terre.

L'homme, qui n'a jamais manié une bêche de sa vie, se retrouve à genou dans le jardin à déraciner des mauvaises herbes, à planter des fleurs et à réparer des clôtures. Monsieur Canetti s'aventure dans le bureau de son protégé et y découvre des chansons encore inconnues : *La drave*, *Chansons des colons*, *L'héritage* et quelques autres.

Il n'a alors qu'une envie, celle de sauter dans une voiture et de se rendre avec Félix dans un studio montréalais pour enregistrer ces nouveautés. Le chanteur se laisse finalement convaincre et en moins de deux, les complices filent dans la Volkswagen de Félix en direction de la grande ville. Monsieur Canetti est charmé, la bande-son est magnifique et il rentre à Paris avec l'intention de presser sur disques ces œuvres.

Le succès est encore au rendez-vous et Félix obtient Le Grand Prix du disque de 1958. Lorsqu'il reçoit le télégramme annonçant la bonne nouvelle, il est dans son jardin avec son bon ami Michel Legrand, un auteur-compositeur français renommé. Il lit le mot, le replie, le range soigneusement dans sa poche et continue d'arroser ses fleurs. Il est bien dans son jardin et il compte y rester.

Quelques mois plus tard, Jacques Canetti insiste pour que son poulain revienne faire des spectacles en Europe. Félix a mal à l'âme de devoir refaire ses valises.

Il est à peine arrivé dans la Ville lumière qu'il entame une importante tournée de plus de huit mois.

Il enregistre aussi *Tirelou,* un troisième album avec des titres tels que *L'eau de l'hiver, Tu te lève-ras tôt* et *Ton visage,* une chanson écrite par un certain Jean-Pierre Ferland.

Il est rare que l'homme chante les textes des autres, mais il est tombé sous le charme de la magnifique chanson de cet auteur-compositeur-interprète, digne héritier de Félix de plus en plus populaire au Québec.

Le chanteur profite de son retour à Paris pour visiter la ville avec Andrée et Martin. Un jour, ils se rendent enfin au cimetière du Père-Lachaise. Félix en rêve depuis son premier voyage à Paris, mais il n'a jamais eu le temps de faire un peu de tourisme ! Il visite la tombe de son idole, Jean de La Fontaine, un extraordinaire auteur de fables.

Il se recueille devant la pierre tombale vieille de 300 ans. Il remarque que le E du mot « Jean » est chambranlant et qu'il suffirait de donner un petit coup pour que la lettre en fer dégringole. Sans trop réfléchir, Félix frappe la pierre et la lettre tombe dans sa main. Il décide de la mettre dans sa poche et d'en faire son porte-bonheur. Il la déposera dans son grenier à son retour chez lui.

Félix confesse son petit larcin un peu plus tard lors d'une émission de télévision :

« Que me pardonne la ville de Paris, la lettre qui manque au nom de Jean de La Fontaine, c'est moi qui l'ai ! » dit-il avec un brin de culpabilité dans la voix.

Après plusieurs mois de spectacles loin de chez lui, il a de nouveau envie de rentrer. Le mal du pays le frappe de plus belle. Dès la fin de la tournée, au lendemain du dernier spectacle, Félix et sa famille reviennent au Québec. Il en sera ainsi chaque fois que Félix partira en tournée pour plusieurs mois. Dès qu'il le pourra, il reviendra chez lui, parce que son mal du pays le fait souffrir.

***

« Avez-vous le mal du pays, parfois, Rosa ? » demande Roméo.

« Vous savez, nous avons fui notre pays à cause de la violence de la guerre civile. Nous avons vécu des moments difficiles là-bas. Mais c'est certain que, malgré tout, et comme votre géant, j'ai le mal du pays aussi parfois », dit Rosa.

13

DES ÉPREUVES DIFFiCILES

Lorsqu'il atterrit à l'aéroport de Dorval en plein cœur de l'hiver 1966 après une autre tournée de spectacles en Europe, une belle surprise attend Félix. Une jeune fanfare de La Tuque l'accueille en jouant et en chantant *Le p'tit bonheur* et *Moi, mes souliers*. Cela rappelle de bien beaux souvenirs à Félix et le replonge dans son enfance, alors qu'il jouait de la grosse caisse avec la fanfare.

Mais une horde de journalistes vient rapidement briser ce moment magique en posant des questions au chanteur.

« Est-ce que votre couple va bien, monsieur Leclerc ? »

« Est-ce que les mauvaises critiques de la pièce *Le p'tit bonheur* à Paris vous affectent ? »

« Êtes-vous heureux de revenir chez vous ? »

C'est sûr que Félix est déçu par certaines critiques, qui démolissent sa pièce. Pourtant, alors que le spectacle devait n'être joué que quarante soirs, il y aura quelques représentations supplémentaires.

Pour ce qui est des rumeurs sur son mariage qui bat de l'aile, eh bien, il n'y a pas de fumée sans feu. Cela fait effectivement un certain temps que Félix et sa femme ne vivent plus ensemble.

Félix ne veut pas briser ainsi sa famille, mais il n'est plus amoureux. Après s'être réfugié chez sa bonne amie, la chanteuse Cora Vaucaire, pour réfléchir, il écoute ce que son cœur lui dit.

Il quitte sa femme et dévoile son idylle avec Gaétane Morin, dont il est tombé éperdument amoureux.

À ce moment, sans donner d'explications à qui que ce soit, Félix rompt les liens professionnels avec son agent, Jacques Canetti. Il se dit pourtant éternellement reconnaissant pour ces vingt-deux années de complicité. Il le remercie d'avoir été le premier à avoir cru en lui alors qu'il était un illustre inconnu.

Le 1er octobre 1965, son père, Léo, décède.

Tous ces changements en peu de temps dans sa vie lui donnent une certaine urgence de vivre. Il décide de se faire construire une maison sur l'île d'Orléans, qu'il aime tant. C'est à cet endroit qu'il entame une nouvelle vie. Il compte aussi avoir d'autres enfants.

Mais à la fin des années 1960, l'artiste est blessé dans son amour-propre lorsque sa dernière pièce, *Les temples*, qui est présentée à la Comédie-Canadienne, est complètement démolie par le public et par les journalistes. C'en est trop pour Félix, qui décide de quitter le Québec avec sa famille pour s'installer en France.

De l'autre côté de l'Atlantique, grâce à son nouvel agent, Jean Dufour, la carrière de Félix prend un second élan. Un tout nouveau public, plus jeune, s'intéresse à sa musique. On lui propose une tournée dans plus de quarante villes françaises et Félix accepte. Ça ne pouvait pas tomber mieux.

Au printemps 1967, il chante au Bobino, à Paris. Il fait ensuite une grande tournée en Europe. Puis en novembre 1967, tout juste à la fin de l'Expo 67[1], l'exposition universelle qui a transporté Montréal, Félix se laisse séduire par l'idée de faire un spectacle en compagnie de sa bonne amie, Cora Vaucaire, à la Place des Arts. Il est alors accueilli en véritable héros national par le public. Cela lui fait du bien et vient mettre un baume sur sa blessure. C'est ensuite le cœur léger qu'il retourne à Paris.

Entre 1967 et 1975, Félix donne plus de spectacles que jamais. Il a beau avoir songé à une retraite paisible chez lui il y a quelques années, ce contact si chaleureux avec le public partout où il passe lui procure une énergie nouvelle.

Durant cette période, il décide de s'installer en Suisse avec sa belle Gaétane et ses deux enfants, Nathalie, née en 1968, et Francis, né deux ans plus tard. Félix s'ennuie de la campagne, des

---

1. Voir *L'Expo 67*, collection « Raconte-moi », n° 18, de Johanne Mercier.

grands espaces et de la neige du Québec et c'est en Suisse qu'il a l'impression de retrouver un peu de son pays. Il plante un jardin de roses. Les enfants y sont bien et la vie est paisible, loin du tumulte de la ville.

Il mène pendant deux ans une existence de calme dans les Alpes suisses. Un jour, une voisine malcommode vient frapper chez les Leclerc.

« Monsieur, il faudrait que vous tondiez votre gazon. Ici, en Suisse, il faut que ce soit toujours bien entretenu et propre ! » lui lance-t-elle.

Félix claque la porte. Il n'aime pas qu'on lui dise quoi faire et encore moins qu'on lui fasse des remontrances.

« Je ne vivrai pas dans un pays où on vient me dire que mon gazon est trop long ! On fait nos valises et on rentre au Québec ! » s'exclame Félix, qui de toute façon commençait à s'ennuyer de sa belle île d'Orléans. C'est là qu'il a envie de voir grandir ses enfants.

En 1970, le clan Leclerc dépose cinq malles sur le seuil de la porte de la maison de l'île d'Orléans. Félix sait que cette fois-ci, c'est la bonne, et que sa belle île, il ne la quittera plus, ou du moins si peu. Le lendemain, en posant les pieds dans son immense jardin, il cache un morceau de papier sous une pierre de sa maison. Sur ce papier, il a écrit :

C'est avec de l'argent français que j'ai pu avoir cette belle demeure.

Ensuite, Félix se dirige vers l'entrée du chemin et, avec un marteau, il enlève le nom Félix Leclerc inscrit sur la boîte aux lettres. Pas question de voir des autobus de touristes débarquer, d'entendre crier les fans ou de devoir se faire photographier en souriant.

Félix, pour le reste de sa vie, veut la paix. Il veut vivre tranquillement sur son île et c'est ce qu'il fait. Il est de plus en plus difficile d'avoir accès au poète de l'île, qui vit presque reclus sur ses terres. Il donne tout de même quelques spectacles d'adieux en France et fait des apparitions ici et là au Québec. Chaque fois, c'est un événement.

***

« J'étais là, le soir du grand spectacle *J'ai vu le loup, le renard et le lion*. Je me souviens, c'était le 13 août 1974 et ça a été toute une soirée, probablement une des plus belles de ma vie. Ça se passait à Québec, sur les plaines d'Abraham. Gilles Vigneault, Robert Charlebois et Félix ont chanté

ensemble devant plus de 100 000 personnes », raconte Roméo à Oussama et à sa mère.

« C'était qui le lion, dans le spectacle ? » interroge
Oussama.

« C'était Félix ! »

« Tu sais que Oussama, ça veut dire "petit lion" dans ma langue natale ? » s'exclame fièrement le garçon.

« Il fallait voir Félix arriver, justement, fier comme un lion et chanter *Moi, mes souliers* en ouverture du spectacle. Et à la fin, lorsque les trois se sont réunis pour chanter *Quand les hommes vivront d'amour* de Raymond Lévesque, c'était grandiose », se souvient Roméo avec nostalgie en contemplant la statue de Félix.

« J'ai lu que Félix a accepté de faire ce spectacle simplement pour le plaisir de chanter avec ces deux-là. Il a aussi dit qu'il était la lampe à l'huile, que Vigneault était l'électricité et que le jeune Charlebois était le néon. Ça m'a fait sourire », raconte Rosa.

« Chose certaine, Gilles Vigneault était fort impressionné, ce soir-là, de chanter avec son mentor, Félix. C'est d'ailleurs lui qui avait donné envie de chanter au jeune Gilles. Un jour, Gilles Vigneault avait demandé à Félix quoi faire avec ses chansons. Félix lui avait répondu : "Tes chansons, c'est-tu des fraises ou des framboises ? Si oui, eh bien, dépêche-toi de les vendre. Mais si c'est bon et durable, prends tout ton temps." »

14

LES DERNIÈRES APPARITIONS
DE FÉLIX

Alors qu'il fait ses adieux définitifs à la France en donnant quelques spectacles, Félix se voit obligé d'arrêter sa tournée avant la fin. Il est gravement incommodé par une vilaine toux. Il faut dire qu'il est affligé depuis son enfance de crises d'asthme chroniques qui se développent parfois en graves infections des bronches. Il revient au pays. Son médecin lui interdit de continuer.

Félix se souvient alors d'une phrase que lui a dit son bon ami, le chanteur Charles Aznavour : « Il faut savoir quitter la table... Je me recule de quelques bancs pour regarder les autres. »

Dorénavant, Félix ne réserve ses tours de chant occasionnels qu'à un seul théâtre, qu'il chérit particulièrement. C'est le théâtre des Patriotes à Montréal et à Sainte-Agathe, dans les Laurentides.

Malgré les offres qui déboulent, Félix refuse tout, ou presque. À soixante-trois ans, le seul voyage qu'il a envie de faire c'est d'aller d'un bout à l'autre de son île. Il se dit qu'au mieux, il lui reste dix ans de ce bonheur tranquille. « L'été, je fais mon fromage de chèvre, je coupe du bois et j'écris. L'hiver, je mange mon fromage, je me chauffe avec le bois que j'ai coupé et je lis ce que j'ai écrit », déclare-t-il en entrevue. Ces paroles résument bien sa nouvelle vie.

Lors d'une soirée très spéciale, le 23 septembre 1979, Denise Filiatrault est à la télévision québécoise : « Si les Américains ont leurs Oscars, nous avons maintenant nos Félix », lance l'animatrice de cette première édition du Gala de l'ADISQ, dans lequel on rend hommage aux artistes s'étant illustrés dans le milieu de la musique ou de la scène.

La statuette de ce gala se nomme un Félix en l'honneur de Félix Leclerc. Ce soir-là, il est justement dans la salle. Il reçoit même le premier Félix Hommage. L'année suivante, Félix est là de nouveau, cette fois pour remettre ce même prix à son bon ami, Raymond Lévesque.

15

FÉLIX RENCONTRE SON IDOLE

À l'automne de 1984, Félix reçoit un appel du journal *La Presse*. «Bonjour monsieur Leclerc, pour les 100 ans de notre journal, le public vous a désigné comme l'un des deux Québécois les plus représentatifs de l'heure et nous aimerions organiser une rencontre entre vous deux. Cela pourrait se faire à l'île d'Orléans.»

Félix n'est pas chaud à l'idée. Il s'apprête à refuser quand la voix au bout du fil ajoute : «L'autre Québécois, c'est Maurice Richard.»

«Quoi? LE Maurice Richard? Comme dans le numéro 9 des Canadiens de Montréal? Maurice comme dans le Rocket? Vous pouvez être certain que c'est oui et ce sera avec plaisir!» s'exclame Félix.

Le chanteur est plus qu'emballé de recevoir son idole, dans sa maison de l'île. Quelques jours plus

tard, le journaliste Réjean Tremblay et le photographe Pierre McCann arrivent chez lui en compagnie du célèbre Rocket. Félix n'en croit pas ses yeux.

Le pionnier de la chanson et l'ex-hockeyeur échangent des souvenirs : Maurice offre à Félix le bâton de hockey de son 526e but et un chandail autographié des Canadiens. Félix lui donne un des rares 78 tours de la version originale de *Bozo*, ainsi que les éditions originales de ses trois premiers livres. Les deux légendes vivantes, sous l'œil curieux et amusé du journaliste et du photographe, échangent plein d'anecdotes.

***

« Je ne sais pas c'est qui Maurice Richard et pourquoi on l'appelait Rocket ! » reconnaît Oussama.

« C'est l'un des plus grands joueurs de l'histoire des Canadiens de Montréal. En 1945, il a marqué 50 buts en 50 matchs. Il a huit conquêtes de la Coupe Stanley. On l'appelait le Rocket parce qu'il était très rapide, dit Roméo. Après le départ de Maurice, ce jour-là, Félix a écrit un magnifique poème qui représente bien qui était le Rocket. »

16

ADIEU FÉLIX

Oussama tourne autour de la statue de Félix. Roméo le regarde déambuler en mangeant un sandwich.

« Tu as revu Félix vers la fin de sa vie ? » demande l'enfant.

« Oui, un jour du mois d'août 1983, il a participé à l'émission *Station Soleil.* Ça a été difficile de le convaincre. Jean-Pierre Ferland, qui était l'animateur, a dû vraiment insister, appeler de nombreuses fois et envoyer plusieurs lettres et télégrammes à Félix pour qu'il accepte de venir faire un petit bout d'entrevue à l'émission. Il était prévu que Félix ne chanterait pas parce qu'il avait accroché définitivement sa guitare. Mais l'équipe en entier était contente et fébrile de savoir que le "roi de l'île" allait venir faire son tour. Finalement, à 14 heures, Félix est arrivé dans le pub du Vieux-Montréal avec sa guitare à la main. »

« Il avait vraiment sa guitare ? »

« Oui, et il a dit : "En quittant l'île, ma femme m'a fait comprendre que je devais apporter mon instrument de travail, au cas où vous insisteriez pour que je chante." J'ai alors répondu à Félix que c'était une excellente idée. »

« Oui, c'est vrai », acquiesce Rosa.

« Félix a eu droit à une ovation debout lorsqu'il a été présenté par Jean-Pierre : "Mesdames et messieurs, Dieu le père, Félix Leclerc."

Oussama et sa mère sont impressionnés.

« Le public a applaudi chaudement celui qui avait laissé dormir sa guitare entre deux bibliothèques dans son grenier pendant cinq ans. Ce soir-là, il s'est entretenu longuement avec Jean-Pierre Ferland, Jean Lapointe et Claude Dubois, qui étaient aussi sur le plateau. Il a ensuite empoigné sa guitare pour chanter *Bozo*, puis la chanson *Ton visage* avec Jean-Pierre Ferland et il a terminé avec

Notre sentier. C'était un moment magique et sans doute le plus beau de ma carrière en télévision. J'étais dans la régie, je voyais ça et j'avais des larmes de joie qui coulaient sur mes joues. J'étais un peu triste aussi, car je savais que c'était probablement la dernière apparition télé de Félix et j'étais l'un des témoins privilégiés de ce moment. Il a été si généreux, jamais je ne vais oublier ma dernière rencontre avec lui », relate Roméo, ému.

« C'était vraiment un gentil géant, Félix », dit Oussama.

« Le 8 août 1988, il est mort dans son sommeil, dans sa maison de l'île. Ce jour-là, le Québec en entier et toute la francophonie étaient en deuil. Notre plus grand, le père de la chanson québécoise, s'est éteint », dit Roméo.

Oussama prend la lingette de Roméo, se dirige vers la statue et en nettoie les bottes.

« Moi aussi je l'aime, Félix », dit-il en souriant et en levant la tête pour croiser le regard du géant.

CHRONOLOGIE

1914   *Naissance de Félix Leclerc à La Tuque.*

1920   *Félix commence des études primaires chez les frères maristes.*

1929   *Déménagement de la famille Leclerc à Rouyn, en Abitibi.*

1930   Mary Travers, dite La Bolduc, obtient un grand succès au Québec.

1934   *Félix suit ses premiers cours de guitare.*

1936   Création de la Société Radio-Canada.

1945   *Mort de Fabiola Leclerc, la maman de Félix.*

1946   *Publication de* Pieds nus dans l'aube, *un récit autobiographique sur l'enfance de Félix.*

1950   *Félix s'envole pour la première fois vers Paris.*

1955   *Le récit autobiographique* Moi, mes souliers *est publié.*

1959   *Le regroupement d'auteurs-compositeurs-interprètes Les Bozos se forme en l'honneur de Félix. Des artistes tels que Clémence Desrochers, Claude Léveillé, Jean-Pierre Ferland, Raymond Lévesque et André Gagnon font partie du groupe.*

1969   *Mariage de Félix et de Gaétane Morin.*

1976   *Félix entre en studio pour réenregistrer plusieurs de ses succès avec François Dompierre. Le disque a pour titre* Chansons dans la mémoire longtemps.

1979	*Le trophée Félix est créé par l'ADISQ en l'honneur de Félix Leclerc.*
1980	*Félix reçoit un doctorat honoris causa de l'Université du Québec.*
1981	*Mort du chanteur Georges Brassens, grand ami et complice de Félix. Celui-ci écrit la chanson Rêves à vendre pour son ami.*
1983	*Le Théâtre Félix-Leclerc situé rue Sainte-Catherine à l'angle de la rue Plessis est créé. Félix est là le soir de l'ouverture.*
1986	*Félix est fait Chevalier de la Légion d'honneur.*
1987	Mort de René Lévesque, ancien premier ministre du Québec.
1990	*Inauguration de « Debout », la statue de Félix dans le parc La Fontaine. Œuvre du sculpteur Roger Langevin.*
1997	*L'autoroute 40 menant à l'île d'Orléans devient l'autoroute Félix-Leclerc.*
2009	*La maison de Félix à Vaudreuil-Dorion est déclarée monument historique.*
2014	*Centenaire de la naissance de Félix Leclerc.*
2017	*Le film Pieds nus dans l'aube, réalisé par le fils de Félix, Francis Leclerc, arrive dans les cinémas.*

MÉDIAGRAPHIE

Livres

Bertin, Jacques. *Le roi heureux,* Montréal, Boréal compact, 1988

Brouillard, Marcel. *Félix illustré,* Vaudreuil-Dorion, Éditions Vaudreuil, 2016

Brouillard, Marcel. *L'histoire d'une vie,* Montréal, Les Intouchables, 2005

Leclerc, Félix. *Moi, mes souliers,* Montréal, Éditions Fides, 1955

Leclerc, Félix. *Pieds nus dans l'aube,* Montréal, Éditions Fides, 1947

Paulin, Marguerite. *Filou, le troubadour,* Montréal, XYZ éditeur, 1998

Sermonte, Jean-Paul. *Roi, poète et chanteur,* Monaco, Éditions du Rocher, 1989

Zimmermann, Éric. *La raison du futur,* Montréal, Éditions Saint-Martin, 1999

Disques

Giroux, Monique. *Heureux qui comme Félix,* Montréal, GSI Musique, 2000

Leclerc, Félix. *Le P'tit bonheur/Le coffret,* Philips, 1989

DISCOGRAPHIE

1951 : *Félix Leclerc chante ses derniers succès* (Polydor, LP 530 001 [France] ; Quality, LP 701 [Canada] ; Réédité en 1957 : Philips, N 76.087 [France] ; Réédité en 1958 : Philips, B 76.087 [France])

1957 : *Félix Leclerc chante* (Philips, V-5, Édition limitée)

1959 : *Les Nouvelles Chansons de Félix Leclerc* (Philips, B-76.486-R)

1962 : *Le Roi heureux* (Philips, B-77.389-L)

1964 : *Félix Leclerc* (Philips, B-77.801)

1964 : *Mes premières chansons* (Nouveaux enregistrements, Philips, 77.846)

1966 : *Moi, mes chansons* (Philips, 70.352)

1967 : *La Vie* (Philips, 844.717)

1969 : *Félix Leclerc dit Pieds nus dans l'aube* (Polydor, 2675.134 ; Réédition 2003 : Universal)

1969 : *J'inviterai l'enfance* (Philips, 849.491)

1972 : *L'Alouette en colère* (Philips, 6325.022)

1975 : *Le Tour de l'île* (Philips, 6325.242)

1978 : *Mon fils* (Philips, 9101.220 ; Réédité en 1989, Amplitude, CHCD-3004)

1979 : *Le Bal* (Nouveaux enregistrements sous la direction de François Dompierre, Polydor, 2912.032)

1979 : *Chansons dans la mémoire longtemps* (Nouveaux enregistrements sous la direction de François Dompierre, Polydor, 2912.033)

1979 : *Prière bohémienne* (Nouveaux enregistrements sous la direction de François Dompierre, Polydor, 2912.034)

1979 : *La Légende du petit ours gris/Le Journal d'un chien (extraits)*, (Contes pour enfants récités par Félix Leclerc sur des musiques de Claude Léveillée, Polydor, 2424.196)

LES COLLABORATEURS

Patrick Delisle-Crevier avait six ans lorsque sa voisine, Violette, lui offrit une pile de magazines. Il adorait déjà l'univers merveilleux de la télévision, mais, là, ce fut le coup de foudre ! Dès lors, il cessa de jouer aux petites voitures et au ballon-chasseur. Il jouait maintenant à être journaliste et posait des questions à ses oursons en peluche, comme s'ils étaient des vedettes de la télé. À l'adolescence, il écrira une cinquantaine de textes pour la chronique « La Jeune Presse » dans le quotidien *La Presse*. Aujourd'hui, les deux pieds bien ancrés dans le monde des grands, il est journaliste chez Québecor Média et signe depuis dix ans des textes pour le magazine *7 Jours*. Il est l'auteur de cinq autres livres de la collection « Raconte-moi ». Il a aussi publié en 2016 le livre *Oiseaux rares de Montréal* aux Éditions de l'Homme.

Josée Tellier est passionnée par l'illustration depuis la maternelle! Très tôt, elle savait qu'elle gagnerait sa vie dans ce domaine. Avec son rêve en tête, elle s'exerçait tous les jours à dessiner, ce qui lui vaudra plusieurs prix dans divers concours régionaux. Cet intérêt prononcé pour les arts l'amènera à poursuivre ses études en graphisme. Des projets variés s'ajouteront à son portfolio au fil des années, dont des collections de mode pour les jeunes, des expositions et plusieurs couvertures de romans jeunesse, notamment celles de la populaire série *Le journal d'Aurélie Laflamme* d'India Desjardins.

TABLE DES MATIÈRES

DANS LA MÊME COLLECTION

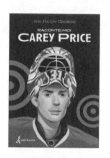

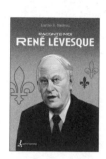

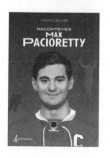

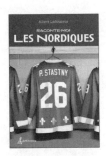

RACONTE-MOI
LES NORDIQUES
Albert Ladouceur

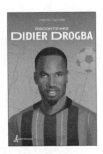

RACONTE-MOI
DIDIER DROGBA
Jérémie Dupont

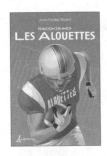

RACONTE-MOI
LES ALOUETTES
Jean-Patrice Martel

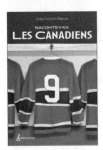

RACONTE-MOI
LES CANADIENS
Jean-Patrice Martel

RACONTE-MOI
RUSSELL MARTIN
Renald Arsenault

RACONTE-MOI
XAVIER DOLAN
Patrick Delisle-Crevier

RACONTE-MOI
LE MÉTRO DE MONTRÉAL
Benoît Clairoux

RACONTE-MOI
LES SŒURS DUFOUR-LAPOINTE
Karine R. Nadeau

RACONTE-MOI
MARTIN MATTE
Patrick Delisle-Crevier

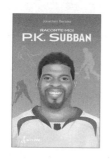

Jonathan Bernier

RACONTE-MOI
P.K. SUBBAN

Justin Gregg

RACONTE-MOI
JEAN BÉLIVEAU

Jessica Lapinski

RACONTE-MOI
PIERRE LAVOIE

Daniel Gibeault

RACONTE-MOI
LA BATAILLE
DES PLAINES
D'ABRAHAM

Johanne Menard

RACONTE-MOI
L'EXPO 67

François Perreault

RACONTE-MOI
MONTRÉAL

Jonathan Bernier

RACONTE-MOI
MARIE-PHILIP
POULIN

Johanne Menard

RACONTE-MOI
LES EXPOS

Suivez-nous sur le Web

Consultez nos sites Internet et inscrivez-vous à l'infolettre
pour rester informé en tout temps de nos publications et
de nos concours en ligne. Et croisez aussi vos auteurs
préférés et notre équipe sur nos blogues !
EDITIONS-PETITHOMME.COM
EDITIONS-HOMME.COM
EDITIONS-JOUR.COM
EDITIONS-LAGRIFFE.COM
RECTOVERSO-EDITEUR.COM
QUEBEC-LIVRES.COM
EDITIONS-LASEMAINE.COM

Imprimé chez Marquis Imprimeur inc.
sur du Rolland Enviro, contenant 100%
de fibres postconsommation, fabriqué à partir d'énergie biogaz
et certifié FSC®, ÉCOLOGO, Procédé sans chlore et
Garant des forêts intactes.